文庫

ABC殺人事件

アガサ・クリスティー
堀内静子訳

早川書房

5254

THE ABC MURDERS

by

Agatha Christie

Translated by
Shizuko Horiuchi
Published 2020 in Japan by
HAYAKAWA PUBLISHING, INC.
This book is published in Japan by
arrangement with
AGATHA CHRISTIE LIMITED
through TIMO ASSOCIATES, INC.

いつもわたしを
力づけてくれる読者
ジェームズ・ワッツに

目次

『ABC殺人事件』によせて

マシュー・プリチャード

『ABC殺人事件』はアガサ・クリスティーにとって最高に輝かしかった時期の作品である。人々はしあわせなときによりよい仕事をすることが多いが、一九三六年のアガサ・クリスティーは作家としても、二度目の夫、マックス・マローワンの妻としても安定していた。アーチボルド・クリスティー（わたしの祖父）との離婚をめぐる心痛や悲嘆はむかし話になり、第二次世界大戦のトラウマとなるさまざまな出来事はまだ視野に入ってこなかった。作家としての名声は、『アクロイド殺し』、『牧師館の殺人』、『オリエント急行の殺人』などの名高い作品によって確立していたし、読者の心に二人のよく知られた探偵たち、エルキュール・ポアロとミス・ジェーン・マープルの存在をしっかりと刻みつけたことで、アガサ・クリスティーはまさにユニークだった。もっとも、ミス・マープルは、この当時はまだ探偵としてかけだしだったが。

『ＡＢＣ殺人事件』で、ポアロはアルゼンチンの農場から一時帰国している友人のヘイスティングズ大尉の助力を得る。アガサ・クリスティーの著作のなかで、ポアロは犯罪捜査のあいだに何人かの友人や警官に出会うが、ヘイスティングズはポアロがはじめて登場した『スタイルズ荘の怪事件』いらいの旧友であり、ポアロが最後に登場した『カーテン』にも姿をあらわす。ヘイスティングズはアガサ・クリスティーによって、ごく平凡な人物として描かれ、事件にたいするその直観的な反応は、ポアロに言わせれば、ときには愚かしくさえあるのだが、ポアロを正しい方向へと導くこともある。ヘイスティングズはしばしば、シャーロック・ホームズのワトスンと比較され、『ＡＢＣ殺人事件』の場合のように、事件の記録者とされる場合が多い。

アガサ・クリスティーの作品ではよくあることだが、巧みにおおい隠されているものの、プロットはテーマのヴァリエーションであり、似たような社会的出来事や、娘二人と青年一人からなる三角関係のようなよくある状況や、殺しやアリバイづくりに必要な相棒との関係といったものがその中心となる。そしてまた、プロットは列車のなかとか、アガサの夫マックスが考古学の研究に従事していた中東や、のちには西インド諸島などの異国情緒あふれる環境で展開する。船や列車などの限られた空間が、容疑者の数を少なくするので、犯人探しのゲームが読者にとってより楽しいものになることは間違いない。

しかし、『ABC殺人事件』は特異な作品である。まったく独自の着想をもとに、きわめて複雑な一連の殺人事件が起こり、ひねりや偽の手がかり、隠れた動機などがほぼ毎ページに見られる。表面的には、アルファベット順であることを唯一の共通点としてイギリスの各地で次々に殺人を犯し、当時イギリスで列車の旅をする人々が時刻表として用いていた古めかしい『ABC鉄道案内』を、おぞましい名刺代わりに犯罪現場に残していく連続殺人犯の捜索である。さまざまな被害者のあいだに、それとわかる関係が見られないため、物語のなかでは連続殺人犯、狂気、殺人狂などという言葉が頻繁に用いられる。

とはいえ、『ABC殺人事件』の読者は、この物語についていかなる先入観も捨てるべきである。たとえ、それが本書の裏表紙に書かれている宣伝用の文章から得られた先入観だとしても。エルキュール・ポアロ宛てに殺人予告の手紙を書く犯人のことをどう考えればいいのだろう。なぜエルキュール・ポアロを選んで手紙を送るのか。ポアロは有名であるとはいえ、すでにリタイアし、警察の公式な一員でもないのだ。いかなる奇怪な、そして歪んだ心が、殺人を犯し、罰を免れるためにこのような挑戦をせずにはいられないのだろうか。それとも、この殺人者の心はそれほど奇怪でもなく、歪んでもいないのだろうか。

それを知る楽しみを損なうつもりはない。だが、『ABC殺人事件』における犯人の動機が、アガサ・クリスティーのほかの物語のほぼすべてと同じように、プロットの中心にあることは記憶にとどめておくようにおすすめする。そして読者に、こう約束しよう。

『ABC殺人事件』にはよけいな飾りはない――そこにはある殺人のためのみごとな着想があり、最後の数ページで、事件についてポアロが説明するとき、読者は完全に満足するだろう。正体を暴かれた殺人者は非情だが、解決は妥当であり、完全に納得できる。わたしの考えでは、アガサ・クリスティーの小説すべてのなかで、もっとも妥当な終わり方だと言えると思う。だから、じっさい、『ＡＢＣ殺人事件』に書かれている殺しのアイディアが、現実の生活のなかで応用されるかもしれない、という考えが脳裡をよぎりさえする……。

マシュー・プリチャードは、アガサ・クリスティーの娘ロザリンドの息子で、一九四三年生まれ。クリスティー財団の理事長を長く務めている。

ABC殺人事件

登場人物

エルキュール・ポアロ……………………………私立探偵
ヘイスティングズ………………………………ポアロの友人。大尉
アリス・アッシャー……………………………最初の犠牲者
フランツ・アッシャー…………………………アリスの夫
メアリ・ドラウアー……………………………アリスの姪
エリザベス・バーナード………………………二番目の犠牲者
ミーガン・バーナード…………………………エリザベスの姉
ドナルド・フレイザー…………………………エリザベスの恋人
カーマイケル・クラーク卿……………………三番目の犠牲者
フランクリン・クラーク………………………クラーク卿の弟
ソーラ・グレイ…………………………………クラーク卿の秘書
ジョージ・アールスフィールド………………四番目の犠牲者
アレグザンダー・ボナパート・カスト………行商人
トンプスン博士…………………………………精神病研究者
クローム…………………………………………警部
ジャップ…………………………………………主任警部

まえがき

大英帝国陸軍大尉　アーサー・ヘイスティングズ

これまでわたしは自分がその場に居合わせた事件ないし場面のみについて述べてきたが、この物語ではその慣例から離れた。そのため、いくつかの章は三人称によって書かれている。

読者には、それらの章で語られている出来事が真実であることを保証しよう。さまざまな人物の思考や感情に踏みこんで自由に描写しているとすれば、それはかなり正確であることをわたし自身が信じているからだ。さらにつけ加えておけば、わが友、エルキュール・ポアロによって「綿密に吟味」されている。

結論を言えば、この奇妙な一連の犯罪の結果として生じた二次的な人間関係をかなり詳細に述べているのは、人間的、個人的要素をないがしろにすることができないからである。以前、エルキュール・ポアロがきわめて芝居がかった態度でおしえてくれたことがあるが、犯罪の副産物としてロマンスが生まれることがあるのだ。

ABCの謎を解決するにあたって、ただひとつ言えるのは、これまで遭遇したいかなる事件ともまったく異なる問題に取り組むにあたって、ポアロが真の天才を示したということである。

1　手紙

一九三五年六月、わたしは南アメリカにある農場を離れ、六カ月滞在する予定で、イギリスにもどってきた。南アメリカにいるわたしたちには苦しい時代だった。ほかの人々と同様に、わたしたちは世界的な不況のあおりを受けていた。わたしはイギリスに片づけなければならない用事があり、自分が出向かなければうまくいきそうもないと思えた。妻は農場を運営するためにあとに残った。

言うまでもないが、イギリスに到着してまずしたのは、旧友エルキュール・ポアロに会うことだった。

ポアロはロンドンで、食事や清掃などのサービスがついた最新式のフラットにおさまっていた。とくにこのフラットを選んだのは、あくまでも幾何学的な外観と均整のためだろう、とわたしは非難がましくポアロに言った（彼はその事実を認めた）。

「でも、この建物には左右対称のすばらしい心地よさがありますよ。そう思いませんか」

あまりにも四角張った建物だと思うとわたしは言い、古い冗談をもちだして、この超現代的なフラットでは、にわとりに四角い卵を産ませることができるのかと尋ねた。

ポアロは腹をかかえて笑った。

「ああ、そのことをまだ覚えているんですか。残念ですがね！　それはできません――科学の力ではまだ、めんどりに現代の好みにあわせて卵を産ませることができないんです。めんどりどもはいまだに、大きさも色もさまざまな卵を産んでます！」

わたしは親しみをこめて旧友をしげしげと見た。すばらしく健康そうで――最後に会ったときから一日分も年をとっていないように見えた。

「ほんとに元気そうですね、ポアロ」わたしは言った。「ぜんぜん、年をとっていない。まったく、ありえないことだが、最後に会ったときよりも白髪が減ったみたいだ」

ポアロはにっこりした。

「どうしてありえないことなんですか。そのとおりなんですよ」

「黒髪が白髪になったのではなく、白髪が黒くなったと言うんですか」

「そのとおり」

「でもそれは科学的に不可能だ！」

「そんなことはありません」

「そんなバカな。自然の摂理に反します」

「例によって、ヘイスティングズ、あなたの精神は美しく、疑うことを知らない。何年たっても、あなたのそういうところは変わらないんですね！　あなたは事実を見て、同時にその解決法を口にしながら、自分がそうしていることに気づかないんです！」

ポアロの言葉が呑みこめず、わたしはまじまじと彼を見つめるだけだった。

ポアロは何も言わずに寝室へいき、瓶を手にしてもどってくると、それを差しだした。

わたしはそれを受けとったものの、一瞬、どういうことなのかよくわからなかった。

瓶にはこういう言葉が記されていた。

レヴィヴィット――髪の自然の色をとりもどすために。
レヴィヴィットは染料ではありません。灰色、栗色、金茶色、茶色、黒の五色です。

「ポアロ」わたしは声をあげた。「髪を染めてるんだ！」

「ああ、理解が訪れたようですな！」

「だから、このまえ会ったときよりもずっと黒く見えるんですね」

「そのとおり」

「やれやれ」わたしはショックから立ち直った。「この次イギリスにもどってくるときは、つけひげでもしてるのかな――それとも、それはつけひげなんですか」

ポアロは顔をしかめた。口ひげはポアロの泣き所なのだ。ことのほかひげを自慢にしている。わたしの言葉はポアロの痛いところをついた。

「いや、いや、ほんとに、友よ《モナミ》、その日のくるのが遠い先であるように、神さまに祈ってますよ。つけひげとは！　なんと恐ろしい《ケル・オラール》！」

ほんものであることを見せつけるように、ポアロは口ひげをぐいぐい引っ張った。

「そう、まだとてもみごとなものですよ」わたしは言った。

「でしょう《ネスパ》？　ロンドンじゅう探しても、これとくらべられるようなひげは見つかりませんよ」

そうでしょうとも、とわたしはひそかに思った。だが、それを口にしてポアロの気持ちを傷つけることなどできるわけがない。

だから、代わりに、いまでもたまには仕事をしているのかと尋ねた。

「何年もまえに引退したことは知ってるんですが——」

「たしかに《セ・ヴレ》。カボチャを栽培するためにね！　そのとたんに殺人事件が起こり——カボチャを悪魔のもとへと行進させるはめになる。それいらい——あなたが言いたいことはわかってます——わたしは断固として引退興行をするプリマドンナみたいなものだ！　その引退興行をはてしなく何度もくりかえしているんです！」

　わたしは笑った。

「じっさい、ずっとその状態だったんです。これが最後だ、とわたしは言う。ところがそうじゃない、何かが起こるんです！　それに、認めなければなりませんがね、友よ、わたしは引退なんかしたくないんです。灰色の脳細胞を働かせなければ、錆びついてしまいますからね」

「なるほど」わたしは言った。「灰色の脳細胞をほどよく働かせているわけだ」

「まさにそのとおり。えり好みをしています。いまのエルキュール・ポアロが手がけるのは、犯罪のなかの最良のものだけです」

「最良のものがたくさんありましたか」

「悪くなかった《パ・マル》。つい最近も、危ないところだったんです」

「失敗しそうだったんですか」

「とんでもない」ポアロはぎょっとしたようだった。「だが、わたしが――わたし、このエルキュール・ポアロが、もう少しで抹殺されるところだったのです」

わたしはヒューッと口笛を吹いた。

「大胆な殺人者だな！」

「いや、大胆と言うよりは軽率です」ポアロが言った。「まさにそれ――軽率なんです。ですが、その話はやめましょう。ねえ、ヘイスティングズ、いろいろな点で、わたしはあなたを幸運の神だとみなしてるんです」

「ほんとに？　どういう点で？」

ポアロはわたしの質問にすぐ答えようとしないで、こう言った。

「あなたがくるという知らせがあったとき、わたしは自分にこう言いました。きっと何かが起こるぞ、と。以前、わたしは一緒に狩りをした、わたしたちふたりで。だが、そういうことなら、ありふれたものであるはずがない。何か特別なものでなければならない」――ポアロは興奮したように両手をふりまわした――「なにか凝ったもの――繊細な――絶妙《フィヌ》な……」正確に翻訳することがむずかしい最後の言葉を味わい深く口にした。

「まったく、ポアロ」わたしは言った。「その言葉を聞いたら誰だって、あなたがリッツ・ホテルでディナーを注文しているところだと思うでしょうね」

「ところが犯罪は注文することができない？　たしかに」ため息をついた。「だが、わたしはツキを信じています——なんなら運命と言ってもいい。あなたの運命は、わたしのそばにいて、わたしが許しがたいあやまちを犯すのを防ぐことなんです」

「許しがたいあやまちというのはなんなんですか」

「明白な事実を見逃すこと」

　わたしは心のなかで考えてみたが、要点がつかめなかった。

「そうですか」わたしはやがて微笑みながら言った。「そのとびきりの犯罪は起こったんですか」

「まだです《パ・ザンコール》。とにかく——つまり——」

　ポアロは言葉を切った。額に困惑のしわが刻まれた。彼の両手が機械的にあがり、わたしがうっかり動かしてしまった二、三の品物をもとの位置にもどした。

「よくわからないのです」ポアロはのろのろと言った。

　口調がとてもへんだったので、わたしはびっくりして彼を見た。

　額のしわはまだ消えていなかった。

　ふいにきっぱりと頭をうなずかせて、ポアロは窓の近くにあるデスクのところへいった。言うまでもないが、中身はすべてきちんと整理され、分類してあるから、ポアロは必要なものをすぐにとりだすことができた。

わたしのところへゆっくりともどってきたポアロは手紙をもっていた。それにあらためて目を通し、わたしによこした。

「おしえてください、友よ《モナミ》」彼は言った。「これをどう思いますか」

わたしは好奇心にかられて手紙を受けとった。

厚手の白い便箋に活字体で次のように書かれていた。

エルキュール・ポアロ氏へ

あんたは頭が鈍いわれらが英国警察の手にある事件を解決してきたと自惚《うぬぼ》れているのではないかね。お利口さんのポアロ氏、あんたがどこまで利口になれるかみてみようじゃないか。たぶん、この難問《ナッツ》は、固すぎて割れないことがわかるだろう。

今月二十一日のアンドーヴァーに注意することだ。

敬具

ＡＢＣ

わたしは封筒に目をやった。それも活字体で書かれていた。

「消印は西中央第一郵便区です」わたしが消印に注意を向けたのを見て、ポアロが言った。「で、意見を聞かせてください」

わたしは肩をすくめ、手紙を返した。

「たぶん、どこかのいかれたやつでしょう」

「それだけですか？」

「ええまあ――いかれたやつが書いたとは思いませんか」

「ええ、そう思います」

重々しい口調だった。わたしは好奇の目で彼を見た。

「これを深刻に受けとめているんですか、ポアロ？」

「いかれたやつというのは、友よ《モナミ》、深刻に受けとめなければいけないんです。頭のいかれたやつはとても危険なんです」

「ええ、もちろん、それはそうだが……そのことは考えていませんでした……でも、わたしが言いたいのは、あほらしい脅しに思えるということです。たぶん、どこかの浮かれた阿呆が書いたんでしょう、聞こし召して」

「いまなんと《コマン》？　何かを聞く？」

「そうじゃありません、そういう言い方をするんです。ぐでんぐでんになったやつと言いたかったんです。いや、つまり、酒を飲みすぎたやつということです」

「メルシ、ヘイスティングズ。〈ぐでんぐでん〉という表現は知ってます。あなたが言うとおり、それだけのことかもしれないが……」

「でも、それだけじゃないと思ってる？」ポアロの口調にこもる不満げなひびきにどきりとして、わたしは尋ねた。

ポアロは疑念が晴れないらしく頭をふったが、何も言わなかった。

「どういう手を打ったんですか」わたしは訊いた。

「何ができるというんですか。ジャップに見せました。あなたと同じ意見でしたよ——くだらない悪ふざけだ——そういう言い方をしてました。警視庁にはそういう手紙が毎日届くんです。わたしのところにもくるが……」

「でも、これは真剣に受けとめている？」

ポアロはゆっくりと答えた。

「この手紙には何かがあるんです、ヘイスティングズ、それが気にかかる……」

われにもなく、その口調に感銘を受けた。

「あなたは……何がおかしいと思ってるんですか」

ポアロは頭をふり、手紙をとりあげて、デスクにもどした。

「真剣に受けとめているんなら、何かできるんじゃないんですか」わたしは尋ねた。

「あいかわらず、行動の人だな！　しかし、何ができますか。州警察にも見せたが、彼らも真剣に受けとめようとしない。指紋は検出されない。差出人についての手がかりも、郵便配達区内にはないんです」

「あなたの勘だけというわけですか」

「いや、勘ではない、ヘイスティングズ。勘という言葉はよくない。わたしの知識——わたしの経験——それがおしえてくれるんです、この手紙は何かがおかしい、と」

うまく言葉を思いつかないらしく、身ぶりでおぎなおうとして、また頭をふった。

「ただの蟻塚を山だとみなしているのかもしれない。いずれにしろ、待つしかないんです」

「そうですか、二十一日は金曜日ですね。アンドーヴァーの近辺で大がかりな強盗事件でもあったら……」

「ああ、それならとても気が楽になります！」

「気が楽になる？」わたしはポアロをまじまじと見つめた。異様な言葉だと思えた。

「強盗事件はスリルがあるかもしれないが、気が楽になるようなものじゃないでしょう」わたしは反論した。

ポアロは激しく頭をふった。

「誤解ですよ、ヘイスティングズ。わたしが言いたいことがわかってない。強盗なら安心できるんです、わたしの心のなかにあるものを打ち消してくれるから」

「何をですか」

「殺人です」とエルキュール・ポアロは言った。

2　ヘイスティングズ大尉の記述ではない

アレグザンダー・ボナパート・カスト氏は椅子から立ちあがり、近視らしい目つきでうらぶれた部屋をぐるっと見まわした。身体をまるめて座っていたために背中が強ばっていた。背筋をまっすぐのばした彼を見た者がいれば、じっさいにはかなりの長身であることがわかっただろう。猫背と近視のためにかがんでのぞきこむような姿勢になるせいで、誤った印象を与えるのだ。

ドアの内側にかかっている着古したオーバーコートのところへいき、ポケットから安煙草のパックとマッチをとりだした。煙草に火をつけ、それまで座っていたテーブルにもどった。鉄道案内をとりあげて調べ、それからまたタイプした氏名のリストをじっくり検討した。ペンで、リストの最初の名前のひとつにしるしをつけた。

六月二十日、木曜日だった。

3　アンドーヴァー

匿名の手紙についてポアロの不吉な予感を聞いたときは強い印象を受けたものの、それについてすっかり忘れていたことは認めなければならない。ようやく思い出したのは、じっさいに二十一日になり、警視庁のジャップ主任警部がわたしの友人を訪れたときだった。犯罪捜査部のジャップ警部とは古くからの知り合いであり、警部はわたしを見ると心から歓迎してくれた。

「なんとまあ」警部は大声をあげた。「ヘイスティングズ大尉が、いわゆる未開の地からご帰還とは！　ここで、ムッシュー・ポアロのところでお目にかかれるとは、まるでむかしにもどったようですな。それにお元気そうだ。頭のてっぺんがいささか薄くなられただけですかな。まあ、われわれはみなそうなるんです。わたしも同様ですよ」

わたしはややたじろいだ。髪を頭のてっぺんにかけてうまく梳かしつけているので、ジャップ警部が言及した薄い部分は誰にも気づかれないと思いこんでいたのだ。だが、ジャップ警部はわたしに関するかぎり気配りが欠けるところがあるので、ここは黙ってこらえることにして、誰ひとり若返るわけではないですからね、とあいづちをうった。

「こちらにおいでのムッシュー・ポアロは例外ですな」ジャップ警部は言った。「ヘアトニックの広告に申し分ない。以前にもまして立派なひげですな。それに、お年を召されてから脚光を浴びるようになった。この時代のありとあらゆる有名な事件にかかわっておられる。列車の殺人、航空機内の殺人、上流社会の殺人——ここにいるかと思えば、またあちら。いたるところでご活躍だ。引退なさってから、いちだんと有名になられましたな」

「先日もヘイスティングズに言ったのだが、これが最後だと言いながら、何度も引退興行をするプリマドンナみたいなものですよ」ポアロは微笑みながら言った。

「あなたがご自分の死について捜査する、なんてことになっても驚きませんね」ジャップは大笑いしながら言った。「こいつはいい思いつきだ。本に書いたほうがいいな」

「それをするのはヘイスティングズの仕事です」ポアロはいたずらっぽい目でわたしを見ながら言った。

「ははは！　すばらしいジョークになるな」ジャップ警部は笑った。

どうしてそんなに面白いのかわかりかねるし、ジョークとしても趣味がよくない、とわたしは思った。かわいそうなポアロは老いつつある。死が近いことをジョークにされて、嬉しいはずがない。

たぶん、わたしの気持ちがおもてにあらわれたのだろうが、ジャップ警部は話題を変えた。

「ムッシュー・ポアロの匿名の手紙のことは聞きましたか」

「先日、ヘイスティングズに見せましたよ」わたしの友人は言った。

「そうだった」わたしは大声をあげた。「すっかり忘れてた。そうそう、あそこに書かれていた日付はいつでしたっけ」

「二十一日です」ジャップ警部が言った。「だからこちらにお寄りしたんです。二十一日はきのうですから、ゆうべ好奇心からアンドーヴァーに電話してみました。たしかに悪ふざけでしたよ。何も起こりませんでした。ショーウィンドーが割られたのと——子供が石でも投げたんでしょう——酔っぱらいと風紀紊乱が数件だから、今回ばかりはわがベルギー人のお友だちは、間違った木に向かって吠えていたことになる」

「ほっとしました、ほんとのところ」ポアロは認めた。

「ひどく心配しておられたんですね」ジャップ警部はいたわるように言った。「まったく、ああいう手紙は毎日、何十通も届くんです！　暇をもてあましているうえに、おつむがちょっぴり弱いという連中が書くんですよ。悪いことをしてるつもりはないんです！　ちょっとしたスリルのためです」

「あんなに真剣に心配して、わたしは愚かでしたね」ポアロが言った。「わたしが鼻を突っこんだのは馬の巣だったわけだ」

「馬じゃなくて雀蜂《バルドン》でしょう」ジャップ警部が言った。

「なんだって？」

「諺をとりちがえたんですよ。さて、わたしは失礼します。近くに用事がありまして——盗品の宝石を受けとるんです。途中でちょっとここへ寄って、安心していただこうと思っただけです。灰色の脳細胞を必要もないのに活動させては申し訳ないですからね」

その言葉とともに高らかに笑い声をひびかせて、ジャップ警部は立ち去った。

「彼はあまり変わっていないでしょう、気のいいジャップは。どうですか？」ポアロが訊いた。

「ずっと老けましたがね」わたしは言った。「穴熊みたいに灰色になりましたよ」わたしは恨みがましく言った。

ポアロは咳ばらいした。

「ねえ、ヘイスティングズ、ちょっとした方法があるんですよ——わたしの理髪師《ヘアドレッサー》はなかなか創意工夫に富んだ人物でしてね――あるものを頭に載せて、その上に自分の髪を梳かしつけるんです――かつらじゃありません――でも――」

「ポアロ」わたしは吠えた。「あなたのいまいましい理髪師のいやらしい発明品なんか、使うつもりなどまったくありませんからね。わたしの頭のてっぺんがどうだっていうんですか」

「なんでもありません――ぜんぜん、なんでもありません」

「わたしはハゲになるわけじゃないんだ」

「もちろんです！　もちろんですとも！」

「あちらでは夏がずっと暑いので、自然に髪の毛が少し抜けるんです。すごくいいヘアトニック《ブレシゼマン》を持ち帰りますよ」

「もちろんです」

「それに、ジャップの知ったことじゃないでしょう。いつだって頭にくるやつなんだ。だいたい、ユーモアのセンスってものがまるでない。誰かが腰をおろそうとしたときに椅子が引かれたら、大声をあげて笑うようなやつなんだ」

「そういうときに笑う人間は大勢いますよ」

「非常識きわまる」

「腰をおろそうとしていた人間にとってはたしかに非常識ですね」

「でもまあ」わたしはやや機嫌を直して言った（髪の薄さに神経質であることは認めよう）。「あの匿名の手紙がただのいたずらで残念でしたね」

「たしかにわたしは間違ってました。あの手紙のことですが、あれは魚みたいに臭うと思ったんです。たんなるバカげたいたずらだった。やれやれ、わたしは歳をとって、何もないのにうなり声をあげる目の見えない番犬みたいに疑い深くなっている」

「あなたに協力するためには、一緒に〈こってりした《クリーミー》〉犯罪を探さなければならないですね」わたしは笑いながら言った。

「このまえあなたが言ったことを覚えてますか。ディナーを注文するように犯罪を注文できるとしたら、あなたは何を選びますか」

わたしはポアロの気分に合わせた。

「そうですねえ。メニューを見てみましょう。強盗かな？ 贋金造り？ いや、ちがうな。それじゃヴェジタリアン向きだ。殺人じゃないといけないな——血のしたたる殺人——もちろん、添え物をつけて」

「そうですとも。オードヴルをね」

「被害者はだれにするかな——男それとも女？ 男だな、たぶん。大物だ。アメリカの百万長者。首相。新聞社の社長など。犯罪の現場は――そうだな、むかしなつかしい書斎はどうかな。雰囲気にかけて書斎にまさるものはない。凶器はどうか――そう、奇妙にねじれた短剣――あるいは鈍器――石の偶像など――」

ポアロはため息をついた。

「あるいは、もちろん」わたしは言った。「毒薬もある――だが、それには専門知識が必要だ。さもなければ、闇にこだまするリヴォルヴァーの銃声。それに、美人がひとりかふたり――」

「栗色の髪のね」わが友人はつぶやいた。

「例によってあなたの古い冗談ですね。美女のひとりは、むろん、不当に容疑をかけられる――そして彼女と青年のあいだに誤解がある。それから、もちろん、ほかの容疑者もいなければ――もっと年上の女性――黒髪で、危険なタイプ――それから殺された男の友人か敵――そして物静かな秘書――これがダークホースですよ――それにはったり屋だが親切な男――そして解雇された使用人か猟場番人か何かが二、三人――それにジャップに似たあほな刑事――まあ、そんなところかな」

「それがあなたが考える〈こってりした犯罪〉なんですか、え？」

「同意してくれないようですね」

ポアロは嘆かわしげにわたしを見た。

「あなたがつくりあげたのは、これまでに書かれた探偵小説をほとんど網羅するかなりいい要約ですよ」

「まあね」わたしは言った。「あなただったら何を注文するんですか」

ポアロは目を閉じ、椅子の背にもたれた。唇のあいだから、猫が喉を鳴らすような声がもれた。

「ごく単純な犯罪です。複雑なところがまるでない犯罪。静かな家庭内の犯罪……情熱のこもらない——ごく親密な《アンティーム》」

「犯罪がどうして親密なものになるんです？」

「想像してごらんなさい」ポアロがつぶやいた。「四人の人間がブリッジをしていて、それに加わらない一人が暖炉のそばの椅子に座っている。夜更けになって、暖炉のそばの男が死んでいることが発見される。四人のひとりが、ダミーになって休んでいるときに、そこにいって彼を殺したが、ほかの三人はゲームに夢中になっていて気づかなかった。ああ、それがあなたにふさわしい犯罪ですよ！　四人のうちの誰がやったのか？」

「まあ、それのどこにスリルがあるのかわかりませんね」

ポアロが叱責するような視線をわたしに向けた。

「たしかに。なぜなら、奇妙にねじれた短剣も、脅迫状も、偶像の目から盗みだされたエメラルドも、正体不明の東洋の毒薬もありませんから。あなたは芝居がかったことが好きですね、ヘイスティングズ。あなたは殺人が一つだけという事件でなく、連続殺人のほうがいいんでしょう」

「たしかに認めますよ」わたしは言った。「本のなかでは第二の殺人が起こってから、万事が面白くなるものです。殺人が第一章で起こって、最終ページの直前まで全員のアリバイをえんえんと調べるという流れになったら――ええ、それではいささか退屈だろうな」

電話が鳴り、ポアロは立ちあがって受話器をとった。

「アロー」ポアロは言った。「アロー。ええ、エルキュール・ポアロです」

一、二分聞いているうちに、ポアロの顔つきが変わった。

ポアロの受け答えは短く、とぎれとぎれだった。

「もちろん《メ・ウィ》……」

「はい、もちろん……」

「でも、ええ、ふたりでいきます……」

「そうですとも……」

「あなたが言うとおりかもしれない……」

「ええ、もっていきます。では後ほど《ア・トゥータラール》」

ポアロは受話器をもどし、わたしのところへやってきた。

「ジャップからです、ヘイスティングズ」

「で？」

「警視庁へいまもどったんだそうです。アンドーヴァーから連絡が入っていて……」

「アンドーヴァー？」わたしは興奮して大声をあげた。

ポアロはゆっくりと言った。

「煙草と新聞を売る小店をやっていたアッシャーという名前の老女が殺されているのが発見されました」

やや出端をくじかれたような気がした。アンドーヴァーという地名でわきあがってきた興味に水をさされたようなものだ。もっと華やかな犯罪を期待していた――とてつもないものを！　小さな煙草屋をやっている老女が殺されたところで、わびしい、どうでもいいことのように思えた。

ポアロは同じゆるやかな重々しい声でつづけた。

「アンドーヴァー警察は、犯人の男を逮捕できると考えています――」

わたしはまたしても失望のうずきを感じた。

「どうやらその女性は夫と仲が悪かったようです。夫は飲んだくれの、かなりたちの悪いやつだったみたいです。殺してやる、と妻を脅したことも一回だけではない。にもかかわらず」ポアロはつづけた。「起こったことにかんがみて、あそこの警察はわたしが受けとった匿名の手紙を見たがっています。あなたとただちにアンドーヴァーへ向かうと言っておきました」

少し気持ちが明るくなった。結局のところ、この犯罪はわびしいかもしれないが、とにかく「犯罪」なのであり、わたしは長いあいだ犯罪や犯罪者たちとかかわりがなかったのだ。

だから、ポアロの次の言葉がろくに頭に入らなかった。だが、あとになって、わたしはそれを意味のあるものとして思い出すことになる。

「これがはじまりです」とエルキュール・ポアロは言ったのだ。

4 アッシャー夫人

アンドーヴァーでわたしたちを迎えたのは、感じのいい笑みを浮かべた長身で金髪のグレン警部だった。

簡略にするために、この事件について、かいつまんで述べておいたほうがいいだろう。

事件はドーヴァーという巡査によって、二十二日の午前一時に発見された。パトロール中に、巡査は煙草店のドアが閉まっているかどうかたしかめ、鍵がかかっていないことを知って店に入り、最初は誰もいないと思った。だが、懐中電灯をカウンターの後ろに向けたところ、老女のうずくまった遺体があった。監察医が現場に到着して調べた結果、老女は後頭部を、たぶんカウンターの奥の棚から煙草のパックをとろうとしたときに鈍器で殴られたことが判明した。発見される七時間から九時間前に死亡したにちがいない。

「ですが、死亡時刻をそれよりも少し狭めることができました」警部は説明した。「五時半にその店で煙草を買った男がいたんです。ふたり目の男が六時五分すぎに店に入り、誰もいないと思ったそうです。それで、死亡時刻は五時半から六時五分すぎまでということになる。いまのところ、近所で亭主のアッシャーを見かけたという人間は発見できませんが、でも、もちろん、まだ捜査をはじめたばかりですからね。アッシャーは九時には〈三つの王冠亭〉でへべれけになっていたようです。捕まえたら、容疑者として勾留します」

「あまり人に好かれる男ではないんですね、警部？」ポアロが訊いた。

「感じが悪いやつです」

「奥さんと暮らしてなかった？」

「ええ、数年前に別居したんです。アッシャーはドイツ人です。以前はウェイターをしてたんですが、大酒を飲むようになり、だんだん仕事の口がなくなったんです。女房はしばらくのあいだ勤めに出てました。最後に働いていたのは、ミス・ローズという老婦人のところで、コック兼家政婦をしてました。それまでは給料のなかからかなりの金を亭主にまわしていたんですが、やつは酔っぱらっては女房が働いているところへやってきて、騒ぎを起こしてたんです。それで女房はグレンジ荘のミス・ローズのところで働くことになったんです。そこはアンドーヴァーから六キロほど離れていて、田舎のど真ん中ですからね。アッシャーのやつ、たびたび押しかけるわけにいかなかった。ミス・ローズが亡くなったとき、ちょっとばかり遺産を残してくれたので、アッシャー夫人は煙草と新聞の店をひらきました。狭い店で、安煙草とわずかばかりの新聞とか、そんなものをおいてるだけです。なんとか店をつづけていました。アッシャーはやってきては、女房を口汚くののしり、彼女は金を与えてやつを追いはらってました。毎週かならず十五シリングを与えてましたよ」

「子供はいるんですか」ポアロが訊いた。

「いいえ。姪がいます。オーヴァトンの近くのお屋敷で働いています。とても立派な、しっかりした娘さんです」

「で、そのアッシャーが妻を脅していたと言いましたね」

「そのとおりです。飲むと手がつけられなくなるんです——悪態をついたり、女房の頭をぶん殴ってやるとののしったり。アッシャー夫人は苦労したでしょうね」

「夫人は何歳だったんですか」

「六十近いですね——働き者の、まっとうな女性でした」

ポアロは重々しく言った。

「あなたのご意見では、警部、そのアッシャーが妻を殺したということですか?」

警部は用心深く咳ばらいした。

「そう断言するにはまだ早すぎるでしょうね、ポアロさん。でもフランツ・アッシャーの口から、ゆうべはどこですごしたのか聞きたいものです。きちんと説明できれば、それでけっこう——そうでなければ——」

含みをもたせて言葉を切った。

「店からなくなっているものは何もない？」

「何も。レジの現金は手つかずでした。強盗の形跡はまったくありません」

「そのアッシャーという男が酔っぱらって店に入ってきて、妻をさんざんののしったあげく、とうとう殴り殺したとお考えですか」

「それがいちばんありそうなことだと思います。でも率直に申しまして、あなたが受けとられたというその奇妙な手紙を見たいんです。アッシャーが出したという可能性があるかどうか、ちょっと考えてるんですがね」

ポアロは手紙をわたし、警部は眉をひそめて文面を読んだ。

「アッシャーらしくないな」ようやく警部は言った。「アッシャーが〈われらが〉英国警察などという言葉をつかうとは思えない——彼がずる賢くたちまわろうとしてるんならべつですが——それだけの頭があるかどうかもあやしいものだ。あの男は残骸みたいなもので、すっかりばらばらになってるんです。手がふるえて、こんなにはっきりした活字体で書けるとは思えない。それに便箋もインクも、上質なものが使われてます。手紙に今月の二十一日と書かれているのは妙ですね。もちろん、偶然かもしれないが」

「その可能性はあります——たしかに」

「でも、このたぐいの偶然は気に入らないな、ポアロさん。少々できすぎています」

警部は額に深いしわを刻みこんで、一、二分というもの黙りこんでいた。

「ABCか。ABCってのは誰なんだ。メアリ・ドラウアーが(被害者の姪です)何か知ってるかどうかみてみましょう。妙な事件だ。この手紙さえなければ、フランツ・アッシャーが犯人であることに金を賭けてもいいんだが」

「アッシャー夫人の経歴について何かご存知ですか」

「ハンプシャーの出身です。娘時代にロンドンへいって奉公し——そこでアッシャーと会い、結婚したんです。戦時中は暮らし向きが苦しかったにちがいない。一九二二年には別居しました。その当時、ふたりはロンドンにいました。アッシャー夫人は亭主から離れたくてここへもどってきたんですが、やつは女房の居所を小耳にはさんで、ここまで追いかけてくると、金をうるさくせびったんです」ひとりの巡査が入ってきた。「ああ、ブリッグズ。なんだね」

「アッシャーです。連れてきました」

「よし。ここへ連れてこい。どこにいたんだね」

「鉄道の引き込み線にある無蓋貨車に隠れてました」

「そうか。連れてきてくれ」

フランツ・アッシャーはじっさい、見るからにみすぼらしく、感じの悪い男だった。おいおい泣いているかと思えば、急にぺこぺこし、今度はどなりちらした。かすんだ目をわたしたちの顔から顔へきょときょと動かした。

「おれになんの用があるんだね。おれは何もしちゃいねえ。こんなとこへ連れてくるなんて、恥知らずもいいとこだ！　おまえらブタやろうだ、こんなことしやがって」そう言ったと思うと、突然がらりと態度が変わった。「いや、いや、そんなつもりじゃないんです――旦那がたは哀れな年寄りを痛めつけたりしない――きつくあたりゃしないさ。誰もかれも哀れな老いぼれのフランツをいじめるんです。哀れな老いぼれのフランツを」

アッシャーは泣きだした。

「いいかげんにしろ、アッシャー」警部が言った。「しっかりしろ。おまえを逮捕するつもりはないんだ――いまのところは。それにおまえが言いたくなければ、何も言わなくていい。逆に、女房の殺しに関係がないんだったら――」

アッシャーが警部の言葉をさえぎった――声が悲鳴のように甲高くなった。

「おれは殺しちゃいねえ！　殺しちゃいねえよ！　ぜんぶ嘘っぱちだ！　おまえらくそったれのイギリスのブタやろうどもが――みんなしておれをいじめる。おれはあの女《あま》を殺しちゃいねえよ――ぜったいに」

「殺してやるとたびたび脅してたな、アッシャー」

「いや、ちがう。そんなのは嘘だ。あんたにゃわからねえんだ。あれはただの冗談だ――おれとアリスのあいだのただの冗談なんだ。アリスはわかってくれてたよ」

「おかしな冗談だな！　ゆうべどこにいたかおしえてくれるかね、アッシャー」

「はい、はい――何もかも話しますぜ。おれはアリスの近くにはいきもしなかった。ダチと一緒だった――いいダチですよ。おれたちは〈七つ星亭〉にいて、それから〈赤犬亭〉にいって――」

アッシャーはせかせかと話し、言葉が次々にころがり落ちてきた。

「ディック・ウィロウズ――やつが一緒にいた――それに老いぼれカーディー――それにジョージ――それからプラットとほかに大勢。はっきり言うけど、おれはアリスの近くにいきもしなかった。神に誓《アッハ・ゴット》って、ほんとのことです」

声が悲鳴に近くなった。警部は部下にあごをしゃくった。

「連れていけ。容疑者として留置しておけ」

「どう考えればいいのかさっぱりわかりません」警部はぶるぶるふるえながら口汚くののしっている不愉快な老人が連れていかれると言った。「あの手紙さえなければ、やつのしわざだと言うところなんですが」

「老人が名前をあげた男たちは？」

「いやな連中ですよ――やつらときたら、偽証することなんか屁とも思っちゃいません。あの老人はゆうべほとんどの時間、連中と一緒にいたってことになるでしょう。問題は五時半から六時のあいだに、店の近くでやつを見た者がいるかどうかにかかってます」

ポアロは思案するように頭をふった。

「店から何ももちだされていないことはたしかなんですね」

警部は肩をすくめた。

「ものによりますね。煙草が一パックか二パックなくなっているかもしれない――だが、そのために殺しをやる人間はいないでしょう」

「それに何かが――どう言えばいいかな――店にもちこまれたということもない？　場違いなものは何もなかったんですか――店にあるはずがないものは何も？」

「鉄道案内がありました」警部が言った。

「鉄道案内？」

「はい。カウンターの上に、ひらいたまま伏せてありました。誰かがアンドーヴァー発の列車を探していたみたいに。アッシャー夫人か客が探してたんでしょう」

「そういうものも店で売ってたんですか」

警部は首をふった。

「一ペニーの時刻表なら売ってました。でも、これは大判のやつで――スミス書店とか、大きな文房具店においてあるような時刻表です」

ポアロの目がきらっと光った。ポアロは身を乗りだした。

警部の目も光った。

「鉄道案内、と言われましたね。ブラッドショーですか、それともA、B、C？」

「なんてことだ」警部は言った。「ＡＢＣです」

5　メアリ・ドラウアー

思うに、この事件にたいするわたしの興味がかきたてられたのは、ＡＢＣ鉄道案内がはじめて話題になったこのときだった。それまでは、あまり関心をもてなかった。裏通りの店で老女が殺されたというみじめったらしい事件は、よく新聞に載るありふれた犯罪のひとつにすぎず、重要だという気がしなかったのだ。心のなかでは、匿名の手紙に二十一日と書かれていたことも、偶然の一致だとして片づけていた。アッシャー夫人は、飲んだくれた凶暴な夫の犠牲になったのだと思えた。だが、犯行現場に鉄道案内が（駅名がアルファベット順に載っているので、ＡＢＣという省略形でおなじみだ）あったと聞いたときは、全身を興奮のふるえが走った。たしかに――たしかにこれは二度目の偶然ではありえない。

けちな犯罪は新しい側面を見せはじめた。

アッシャー夫人を殺し、ＡＢＣ鉄道案内を残していった謎の人物は誰なのだろう。

警察署を出てから、わたしたちはまず遺体安置所を訪れ、死んだ女性の遺体を見た。薄くなった白髪をこめかみからきっちりと梳かしつけた、しわだらけの老顔を見おろしたとき、奇妙な感覚にとらわれた。表情があまりにも穏やかで、暴力沙汰とはかけはなれているように見えたからだ。

「誰にやられたのか、どんな凶器で殴打されたのか知らないうちに死んだんです」巡査部長が言った。「カー医師《せんせい》がそう言いました。それを聞いて、よかったと思いましたよ、気の毒な人だから。きちんとした女性だったんです」

「むかしは美人だったにちがいありません」ポアロが言った。

「ほんとに？」わたしは信じられずにつぶやいた。

「ほんとですよ、あごの線を見てごらんなさい、骨格や、頭のかたちを」

ポアロはため息をついて遺体にシートをかけなおし、わたしたちは遺体安置所を出た。次にしたのは、監察医との短い会話だった。

カー医師は有能そうな中年男だった。きびきびと、はっきりした言葉づかいで話した。

「凶器は発見されていません。なんだったのか断定することはできません。重いステッキか、棍棒か、砂袋のようなものか――そのどれでもこの場合はあてはまります」

「あのような打撃を与えるにはかなりの力がいりますか」

医者はポアロに鋭い視線を向けた。

「つまり、七十歳になる足元もおぼつかない老人にもできるかということですな。ええ、完全に可能ですよ。凶器の先端が充分に重ければ、かよわい人間でも望みどおりの結果をもたらせるでしょう」

「じゃあ、犯人は男だけでなく、女ということもありえますね」

その言葉に、医者はやや意表をつかれたようだった。

「女か。そう、この種の犯罪に女がかかわっているとは思いつかなかったな。だが、むろん、可能です——たしかにありうることです。ただし、心理的な見地から、これが女による犯罪とは思えませんが」

ポアロはこの意見に賛成らしく、しきりに頭をうなずかせた。

「そのとおり、そのとおり。表面的には、かなりありそうもないことです。しかし、あらゆる可能性を考慮しませんと。遺体は横たわっていたんですね——どういうふうに？」

医者は被害者の位置について、ていねいに説明してくれた。彼の意見では、彼女はカウンターに背を向けて（したがって、彼女を襲った犯人に背を向けて）立っているときに殴りつけられた。カウンターの後ろに崩れるように倒れたので、何気なく店に入ってきた者の目には見えなかった。

カー医師に礼を言ってからそこを辞したとき、ポアロが言った。

「わかりますか、ヘイスティングズ、アッシャーの無実を示すものがひとつあるわけです。アッシャーが妻をののしり、脅していたら、彼女はカウンターをはさんで彼と向きあっていたはずだ。だが、彼女は犯人に背を向けていた——あきらかに、客のために刻み煙草か紙巻き煙草をとろうとしていたんです」

わたしはちょっと身体をふるわせた。

「ぞっとするな」

ポアロは重々しく頭をふった。

「気の毒な女性《ポーヴル・ファム》だ」とつぶやいた。

それから腕時計に目をやった。

「オーヴァトンはここから何キロもないですよね。そこまでいって、亡くなった女性の姪に話を聞きますか」

「その前に、犯行現場になった店にいくんじゃないんですか」

「それはあとまわしにしたいな。ちゃんと理由があるんです」

ポアロはそれ以上説明しなかった。数分後、わたしたちはロンドンへ向かう道路をオーヴァトンの方角へ向かって車を走らせていた。

警部がおしえてくれたのは、村から二キロほどロンドン寄りにある、かなり大きな家だった。

ベルに応えて出てきたきれいな黒髪の娘は、目を赤く泣きはらしていた。

ポアロがやさしく言った。

「ああ！　メアリ・ドラウアーさんですね、ここで小間使いをしている？」

「はい、そうです。あたしはメアリです」

「では、こちらの奥さんが反対なさらなければ、すこしお話ししたいのですが。おばさんのアッシャー夫人のことで」

「奥さまは外出しております。気になさらないと思います、なかに入っていただいても」

娘は小さな居間のドアをあけた。わたしたちはなかに入り、ポアロは窓際の椅子に座りこんで、娘の顔に熱心な視線を向けた。

「おばさんが亡くなったことは聞いてますね、もちろん？」

娘はうなずいた。目に新たな涙が浮かんだ。

「今朝です。警官がきました。ほんとに！　恐ろしい！　かわいそうなおばさん！　とてもつらい人生だったんです。そのうえこんなことになって――ひどすぎるわ」

「警察はあなたにアンドーヴァーへもどれとは言いませんでしたか」

「検死審問に出なければいけないと言われました――月曜日です。でもあそこには泊まるところがないんです――あの店に泊まるなんて考えられないし――いまは――それにメイドが休みをとっているので、奥さまにこれ以上ご不自由をおかけしたくありません」

「おばさんが好きだったんですね、メアリ？」ポアロはやさしく言った。

「ええ、とても。いつも、とてもよくしてくれました、おばは。十一歳のときに母が亡くなり、ロンドンのおばのところへいきました。あたしは十六歳で働きはじめたんですけど、休みのときはたいていおばのところですごしました。あのドイツ人にはさんざん苦労させられてました。あいつのことを〈あたしの老いぼれ悪魔〉といつも言ってました。おばがどこにいても、しつこくつきまとうんです。あいつ、おばにたかり、お金を絞りとっていました」

娘は激しい口調で言った。

「おばさんはしつこく悩まされても、法律的に自由の身になることは考えなかったんですか」

「だって、あいつはおばにとっては夫なんですよ。その関係からは逃げだせません」

娘は素朴に、だがきっぱりと言った。

「おしえてください、メアリ、彼はおばさんを脅していた、ちがいますか」

「ああ、ええ、いつもひどいことを言ってました。喉をかき切ってやるとか、そういったことを。悪態をつき、ののしりもしました——ドイツ語と英語で。でも、おばは言うんです、結婚したときはとても立派でハンサムだったって。人がどんなに変わってしまうか、考えてみると怖いことですね」

「ええ、ほんとに。それで、メアリ、実際にそういう脅しの言葉を聞いていたのだったら、何が起こったのかを知ってもあまり驚かなかったのでしょうね」

「あら、でも、驚きました。だって、あいつが本気だったなんて、ちっとも考えてなかったからです。口汚いだけで、中身は何もないと思ってたんです。それに、おばもあいつを怖がっていませんでした。おばが食ってかかると、脚のあいだに尻尾を巻きこんだ犬みたいにすごすご引っこむのを見てるからです。言うなれば、あいつのほうがおばを怖がっていたんです」

「それなのに、おばさんはお金を与えていた？」

「だって、夫なんですもの。おわかりでしょう？」

「ええ、さっきもそう言いましたね」ポアロは一、二分ほど黙っていたが、やがて言った。「こう考えられますか、結局のところ、彼はおばさんを殺していないのかもしれないと」

「殺してない？」

メアリは目をまるくした。

「ええそうです。ほかの誰かがおばさんを殺したとしたら……誰なのか思いあたることでもありますか」

仰天したように、彼女はポアロをまじまじと見つめた。

「何もありません。でも、ありそうもないことだわ、そうじゃありませんか」

「おばさんが怖がっていた人はいないんですか」

メアリはうなずいた。

「おばは誰も怖れていませんでした。ずけずけものを言うし、相手が誰だって負けていませんでした」

「誰かに恨まれていると言っていたのを小耳にはさんだとか？」

「いいえ、ありません」

「匿名の手紙を受けとったことは？」

「どんな手紙ですって？」

「署名のない手紙です——あるいは、たとえばＡＢＣとだけ署名してある手紙です」ポアロはしげしげと見まもっていたが、娘はなんのことだかわからないようすだった。いぶかしむように首をふった。

「おばさんにはあなた以外に親戚がありますか」

「いまはもういません。十人きょうだいのひとりでしたが、おばのほかに大人になるまで生きたのは三人だけです。トムおじは戦死し、ハリーおじは南アメリカへいき、それいらい音信不通です。あたしの母は亡くなりました、だから残っているのはあたしだけです」

「おばさんは貯蓄がありましたか。貯めていたお金が？」

「貯蓄銀行に少し預けていました——まともな葬式が出せるだけのお金です。おばはいつもそう言ってました。それ以外はかつかつの暮らしをしていたんです——あのろくでなしがいたし」

ポアロは思案するようにうなずいた。そして彼女に、というよりも自分に向かって言った。

「いまのところは暗闇にいるようなものだ——方角がわからない——もうすこしはっき

りしてきたら――」ポアロは立ちあがった。「あなたに連絡したくなったら、メアリ、ここ宛に手紙を書きます」

「じつを申しますと、あたし、お暇をいただくことにしたんです。田舎は好きじゃありません。ここにいるのは、あたしが近くに住んでいればおばが安心できるかなと思ったからなんです。でももう」――またしても目に涙が浮かんだ――「ここにいる理由がありません。だからロンドンへもどります。若い女には、あちらのほうがもっと楽しいですから」

「ロンドンへいらっしゃるときは、住所をおしえていただけるとありがたいのですが。名刺をおわたししておきます」

ポアロは名刺をわたした。娘は名刺を見て、困惑したように眉をひそめた。

「じゃあ、あなたは――警察の方ではないんですね」

「わたしは私立探偵です」

娘はしばらくのあいだ黙ってポアロを見つめていた。

そのうちに、ようやく言った。

「何か――妙なことでも起こっているんですか」

「ええ、お嬢さん。何か妙なことが起こっています。いずれ、あなたに助けていただけるかもしれません」

「あたし――あたし、なんでもします。あれは――あれは正しいことじゃありません――おばが殺されたのは」

奇妙な言い方だったが――それでもわたしは深く心を動かされた。

まもなく、わたしたちはアンドーヴァーへ向かって車を走らせた。

6 犯行現場

悲劇が起こったのは、メインストリートからはずれた裏通りで、アッシャー夫人の店はそこを半分ほど入った右側にあった。

その通りに入ったときにポアロが腕時計にちらっと目をやったので、犯行現場にくるのをあとまわしにしたのがなぜなのか、ようやく合点がいった。ちょうど五時半だった。ポアロはきのうの事件当時の雰囲気をできるだけ再現したかったのだ。だが、それが目的だったのなら、願いはかなわなかった。たしかにいまは、きのうの夕方とは通りのようすがさまがわりしていた。その通りには、貧しい階級の人々が住む家々が並び、そのあいだにいくつかの店が点在していた。ふだんは、かなり大勢が行き来しているのだろう——その多くは貧しい人々で、子供たちが歩道や道路で遊んでいるはずだ。

いまは大勢が群がり、一軒の家か店に目を凝らしていたが、何を見ているのかは、さほど頭脳明晰でなくてもすぐにわかった。わたしたちが目の前にしているのは、ひとりの人間が殺害された場所を興味津々で眺めているごくふつうの人々の群なのだろう。近づくにつれ、そのとおりであることがはっきりした。シャッターがおりたみすぼらしい小店の前に、いらだったようすの若い警官が立ち、人々に「立ちどまらずにさっさと通ってください」と命じていた。警官は同僚の助けを借りて群衆を追いはらい――人々はしぶるようにため息をつき、日々の仕事をするために離れていったが、入れ替わりにすぐまたほかの野次馬があらわれて立ちどまり、殺人が行なわれた場所を心ゆくまで眺めようとしていた。

ポアロは人垣から少し離れたところで足をとめた。そこからは大勢が群がっている店のドアの上にペンキで書かれている名前がはっきり読みとれた。ポアロが息をひそめて言った。

「A・アッシャー。そう、たぶん《ウイ・セ・プーテートル・ラ》――」

言葉を切った。

「さあ、なかに入りましょう、ヘイスティングズ」

待ってましたとばかり、わたしはポアロにしたがった。

わたしたちは野次馬のあいだを抜けて、若い巡査に声をかけた。ポアロは警部にもらった信任状を見せた。巡査はうなずき、わたしたちを通すためにドアの鍵をあけた。わたしたちは野次馬の好奇心たっぷりの視線を浴びながら、店のなかに入った。シャッターがおりているので、なかは真っ暗だった。巡査がスイッチを見つけ、電灯をつけた。ワット数の少ない電球なので、つけても内部はまだ薄暗かった。

わたしはまわりを見まわした。

みすぼらしく、狭苦しい店だった。数冊の安っぽい雑誌ときのうの新聞が散らばり、どれも一日分の埃をかぶっていた。カウンターの後ろには天井までとどく棚があり、刻み煙草と紙巻き煙草のパックが積まれていた。ペパーミント入りキャンディと大麦糖の飴がそれぞれ入っているガラスの広口瓶があった。どこにでもある、ありふれた小さな店だった。

ゆったりしたハンプシャー訛りで、巡査が状況について説明した。

「被害者はカウンターの後ろにうずくまるように倒れてました。あそこです。ドクターが、彼女はどんなもので殴られたのか知らなかったはずだと言ってます。棚のひとつに手をのばしているときにやられたにちがいありません」

「手には何ももっていなかった？」

「ええ。でもかたわらに紙巻き煙草の〈プレーヤーズ〉のパックが落ちてました」

ポアロはうなずいた。目が狭い店のなかをぐるっと見まわした——注意深く。

「で、鉄道案内ですが——どこにあったんですか」

「ここです」巡査がカウンターの上を指さした。「アンドーヴァーのページがひらかれたまま、伏せてありました。ロンドン行きの列車を調べていたみたいに。もしそうなら、アンドーヴァーの住人ではありません。でも、もちろん、鉄道案内は殺人には何も関係のない誰かがおき忘れていったのかもしれませんが」

「指紋は？」わたしは訊いてみた。

巡査は首をふった。

「店のなかはすべて調べました。指紋はまったくありません」

「カウンターにも？」ポアロが訊いた。

「ありすぎるくらいたくさん！　どれも重なっていて、見分けがつきません」

「そのなかにアッシャーの指紋もありましたか」

「まだわかりません」

ポアロはうなずき、死んだ女性はこの店の二階で暮らしていたのかと尋ねた。

「はい、そうです。奥のあのドアから入れます。ご案内したいんですが、自分はここにいなければならないので——」

ポアロは巡査が言ったドアを通り抜け、わたしは彼のあとにしたがった。店の奥にはひどく狭苦しい居間兼キッチンがあり――きちんと片づけられ、清潔だったが、いかにもみすぼらしく、家具もまばらにあるだけだった。マントルピースの上に数枚の写真があった。わたしはそちらへいって眺め、ポアロもそばにやってきた。

写真は三枚だった。一枚はその日の午後会ったメアリ・ドラウアーの安物の肖像写真だった。あきらかに晴れ着をまとい、自意識過剰になって、強ばった微笑を浮かべている。ポーズをとった写真ではこういうふうにわざとらしい表情になってしまうので、スナップ写真のほうがましということもある。

二枚目はもっと金をかけたような写真で――白髪の老婦人を撮ったものであり、技巧的にぼかしてあった。首を毛皮の襟がつつみこんでいる。

これはミス・ローズだろう。アッシャー夫人に、この店をひらけるほどのささやかな遺産を残した女性だ。

三枚目の写真はとても古いもので、ぼやけ、黄ばんでいた。古めかしい服を着て腕を組んでいる若い男女の写真だ。男はボタンホールに花をさし、そのポーズには祝祭のあとらしい雰囲気があった。

「たぶん、結婚式の記念写真です」ポアロが言った。「ほら、ヘイスティングズ、見てごらんなさい、彼女は美人だったと言ったとおりでしょう」

ポアロの言うとおりだった。古風なヘアスタイルと古めかしい服も、端正な顔立ちをました、はつらつとした若い女性の美しさは隠しようがなかった。わたしは男のほうをまじまじと見つめた。軍人ふうに背筋をぴんとのばしているこのあかぬけた青年に、薄汚いアッシャーの面影を見てとるのは至難の技だった。

横目でこちらをにらんでいた飲んだくれの老人と、亡くなった女性の労苦にやつれた顔を思い浮かべ、わたしは容赦のない時の流れを考えて、すこし身体をふるわせた。

居間から階段が二階の二部屋へ通じていた。片方はがらんとしていて、家具もなく、もう一方はあきらかに亡くなった女性の寝室だった。警察が捜査したあと、部屋はもとどおりになっていた。すり切れた古い毛布が二枚ほどベッドの上におかれ――引出しのひとつには繕われた下着がしまわれていて、もうひとつには料理のレシピが入っていた――『緑のオアシス』というペイパーバックの小説、新品のシルクのストッキング一足があり――安っぽく光っているのが哀れを誘った。ほかには二個の陶器の置物――あちこちが欠けたドレスデン焼きの羊飼いと、青と黄色のぶちの犬――があり、木釘に黒いレインコートとウールのジャンパーがかかっていた。それが故アリス・アッシャーのこの世における所有物だった。

個人的な書類や手紙類があったとしても、警察によって持ち去られていた。

「気の毒な女性《ポーヴル・ファム》だ」ポアロがつぶやいた。「いきましょう、ヘイスティングズ。ここには見るべきものは何もありません」

外の通りに出たとき、ポアロはちょっとのあいだ躊躇していたが、やがて道路の反対側へいった。アッシャー夫人の店のほぼ真向かいに八百屋があった——売り物のほとんどが、外に並べてあるといった店だ。

ポアロは低い声でわたしにある指示を与えた。そして、自分は店に入った。一、二分してからわたしもポアロのあとにつづいた。ポアロはレタスを買っているところだった。わたし自身はイチゴを一ポンド買った。

ポアロは品物を包んでいるがっしりした身体つきのおかみさんと、興奮したように話していた。

「この真ん前ですね、あの殺人事件が起こったのは。なんという事件でしょう！　さぞ驚かれたことでしょうね！」

がっしりしたおかみさんはその殺人事件について話すのはあきあきしているようだった。一日じゅう話していたにちがいない。おかみさんはこう言った。

「あそこでぽかんと口をあけて眺めてる連中が帰ってくれたらいいんだけどね。何か見るもんがあるのかね、知りたいもんだよ」

「ゆうべはぜんぜんちがっていたのでしょうね」ポアロが言った。「ひょっとして、殺人者が店に入るのを見たんじゃないですか——背の高い、ひげを生やした金髪の男だ、そうじゃありませんか。ロシア人だということですが」

「それ、どういうこと？」おかみさんは鋭く顔をあげた。「ロシア人のしわざだっていうんですか、お客さん？」

「警察は逮捕したそうですが」

「わからないもんだね」おかみさんは興奮して口が軽くなった。「外国人とはね」

「そうです《メ・ウィ》よ。奥さんがゆうべその男を見かけたかもしれない、と思ったんですが」

「まあ、そんなひまはなかったね、ほんとのところ。夕方は客がたてこんで忙しい時間帯だし、仕事帰りの人たちがけっこう通るしね。背が高くてひげを生やした金髪の男だって——いいえ、このあたりでそういう人を見たおぼえはありませんね」

　わたしはそれをきっかけに口をはさんだ。

「失礼ですが」わたしはポアロに言った。「あなたは聞き違いをなさっておいでですよ。背の低い、黒髪の男だそうですが」

興味深い会話がはじまり、がっしりしたおかみさんと、ひょろりとした亭主と、しわがれ声の店員が加わった。背の低い黒髪の男が少なくとも四人目撃され、しわがれ声の店員は長身の金髪男を見かけていた。「でもひげはなかったな」と店員は残念そうに言った。

ようやくわたしたちは買い物をすませ、嘘を訂正しないまま、その店を出た。

「あれはいったいどういうことなんですか、ポアロ」わたしはやや非難がましく言った。

「もちろん《パルブルー》、向かいの店に見なれない人物が入るのを目撃されるチャンスがどのくらいあるのか知りたかったんです」

「あっさり訊くわけにいかなかったんですか——嘘八百をならべたてずに」

「ええ、友よ《モナミ》、あなたが言うように〝あっさり訊いた〟ら、何も答えてもらえなかったでしょう。あなたはイギリス人だが、正面きった質問をされたらイギリス人がどう反応するか、わかっていないようですね。イギリス人はかならずうさんくささを感じて、そのため、自然に口が重くなるんです。あの店で率直に尋ねたら、みな牡蠣みたいに黙りこんでしまったでしょう。でも、わたしがあることを（それも突拍子もないバカげたことを）言い、あなたが逆のことを言ったので、とたんに舌がゆるんだんです。それに問題の時間が〝忙しい時間帯〟であることがわかりました——つまり、みながよそ見をしているひまもなく立ち働いているうえに、かなり大勢の人たちが店の前を通っていったということです。犯人は時間をうまく選んだんですよ、ヘイスティングズ」

　ポアロは言葉を切り、とがめるような口調で言い足した。

「あなたには常識というものがないんですね、ヘイスティングズ。わたしはこう言ったんですよ、〝買い物をしなさい、なんでもいいから《ケルコンク》〟——そしたらどうです、よりによってイチゴを選ぶとは！　もう袋から染みだして、あなたの上等のスーツを危険にさらしているじゃないですか」

　そのとおりであることを知って、わたしはいささか狼狽した。

　あわててそのイチゴを小さな男の子に進呈したが、その子はびっくり仰天し、ややうさんくさそうな顔をした。

　さらにポアロがレタスを与えたので、その子の困惑は決定的になった。

　ポアロはお説教をつづけた。

「安い八百屋では——イチゴはいけません。イチゴは、摘み立てでないかぎり、汁が染みだしてくるんです。バナナなら——リンゴでも——キャベツだっていいが——でもイチゴはね——」

「最初に思いついたのがイチゴだったんです」わたしは言い訳がましく説明した。

「想像力が欠けているんです」ポアロはきびしく言い返した。

ポアロは歩道で足をとめた。

アッシャー夫人の店の右隣にある店舗兼住宅は空家だった。〈貸家〉という看板がウインドーに見えた。左隣の家には薄汚れたモスリンのカーテンがかかっていた。

その家へポアロは向かい、ベルがないので、ノッカーを何回か鋭く打ちつけた。

少し間があってから、鼻水を垂らした、ひどく汚れた子供がドアをあけた。

「こんばんは」ポアロが言った。「お母さんはなかにいる？」

「え？」子供が言った。

うとましげに、疑惑のこもる目でわたしたちをじろじろ見た。

「きみのお母さんだよ」ポアロが言った。

この言葉が呑みこめるまでに十二秒かかり、それから子供はくるっと向きを変え、階段の上に向かってどなった。「母ちゃん、用だってさ」そして、薄暗い家のなかにあわただしく引っこんだ。

きつい顔つきの女が手すりの上からのぞき、階段を降りはじめた。

「時間のむだだってんだよ――」女は言いかけたが、ポアロがさえぎった。

帽子をとって、ポアロは堂々とした態度でおじぎをした。

「こんばんは、奥さん。わたしは《イヴニング・フリッカー》の記者です。お隣の亡くなったアッシャー夫人について記事がほしいので、応じていただければ五ポンドの謝礼を差しあげますが」

怒りの言葉が唇でとまり、女は髪をなでつけ、スカートのしわをのばしながら階段を降りてきた。

「どうぞ、お入りください——そこの左の部屋です。お座りになって」

ちっぽけな部屋はどっしりしたジェームズ一世時代風のまがいものの家具がぎっしりつまっていたが、わたしたちはそのすきまをなんとか通り抜けて、固いソファに腰をおろした。

「すいませんでしたね」女は言った。「つっけんどんな言い方をして。でも小うるさいことがいろいろあって——あれやらこれやら押し売りがくるし——やれ掃除機だ、ストッキングだ、ラヴェンダーの匂い袋だ、なんだかんだって。みんなすごく口先がうまくて、ていねいな物言いをするし。こっちの名前がわかったら、すぐに言いはじめるんだから。ファウラーさん、こうですよ、ああですよって」

その名前をしっかり耳にとめて、ポアロが言った。

「で、ファウラーさん、お願いしたことを受けていただけるといいんですが」

「さあ、わかんないわね」五ポンドがファウラー夫人の目の前に誘うようにぶらさがっていた。「アッシャーの奥さんのことなら、もちろん知ってますよ、でも何か書くってのはね」

ポアロはすぐさま彼女を安心させた。何もしなくていいんですよ。話を聞かせてもらえば、それをもとにこちらが記事を書きますから。

この言葉に励まされて、ファウラー夫人はいそいそと、思い出やら、憶測やら、また聞きやらをしゃべりだした。

うちにこもる人だったわね、アッシャーの奥さんは。すごく愛想がいいと言える人じゃないけど、でもまあ、厄介事をいっぱいかかえていたし、気の毒に、みんなそのことをよく知ってたわ。だいたいフランツ・アッシャーなんか何年も前に刑務所に入れておきゃよかったのよ。アッシャーの奥さんが彼を怖がってたってわけじゃないわよ――あの人は、怒らせたらすごかったから！　言われたぶんだけ言い返すしね。でもね――最後にはやりすぎってことになるのよ。何度も彼女、ファウラー夫人は言ったのだった。「あの男はいつかあんたをやるわよ。あたしが言ったこと、忘れないで」そして彼はとうとうやったのだ、そうでしょ？　そして彼女、ファウラー夫人はすぐ隣りの家にいるのに、物音ひとつ聞いていなかった。

ファウラー夫人が言葉を切ったので、ポアロはなんとか質問をはさむことができた。

アッシャー夫人は何か特殊な手紙を受けとったでしょうか——ちゃんとした署名のない手紙——ただのＡＢＣと書かれたようなものを？

残念そうに、ファウラー夫人は否定した。

「あんたが言ってるようなものは知ってるわ——匿名の手紙って言うのよね——たいていは口に出したら顔が赤くなるようなことがいっぱい書かれてる。まあ、あたしは知りませんね、ほんとに、フランツ・アッシャーがそういうものを書いたかどうか。たとえ書いていても、アッシャーの奥さんはおしえてくれなかったわ。それなんなの、鉄道案内？　ＡＢＣって？　いいえ、そういうものは見てないわ。それにそういうものが送られてきてたら、きっと聞いてるはずよ。この事件のことを聞いたときはびっくり仰天したから、羽根でちょっと触られただけでひっくり返っちゃったかもしれないわ。うちの娘のエディがやってきてこう言ったのよ。『お母ちゃん、隣りにおまわりさんがいっぱいきてるよ』って。たまげたわね。ほんとに。『やれやれ』事件のことを聞くと、あたしは言ったのよ。『家にひとりでいちゃいけなかったのよ——姪と一緒に暮らしてりゃよかったのに。酔っぱらった男なんて荒れ狂うオオカミみたいなものだからね』ってあたしは言ったの。『あたしに言わせりゃ、あの老いぼれ悪魔みたいな亭主は、野生のけものと似たようなもんさ。あたし、彼女に警告してあげたのに』って言ったの。『何度も言ってあげたんだけど、そしたらほんとにそうなったじゃない。あいつはあんたをやるわよ』ってあたしは言った。そしたら、ほんとに彼女を殺しちゃった！　酔っぱらった男なんて何をやらかすかわかったもんじゃないし、その証拠がこの殺人事件だわ」

ファウラー夫人は深いあえぎ声をもらした。

「そのアッシャーが店に入るのを見た人は誰もいないんですね」ポアロが言った。

ファウラー夫人はバカにしたようにふんと鼻を鳴らした。

「あたりまえよ、あいつが姿を人に見せるはずないでしょ」

アッシャーが誰にも見られずにどうして店に入れたのか、ファウラー夫人は説明しようとしなかった。

その家には裏口がないこと、アッシャーがそのあたりではよく知られていることをファウラー夫人は認めた。

「でも、縛り首になりたくないでしょうから、こっそり入ったのよ」

ポアロはもう少し会話のボールをころがしつづけたが、ファウラー夫人が知っていることをすべて、それも一回ではなく、何回もくりかえし話したことがわかると、話を切りあげ、約束した金額を支払った。

「高くついた五ポンドでしたね、ポアロ」外に出ると、わたしは思いきって言ってみた。

「いまのところはね、ええ、そうです」

「あの女性がもっと知っていると思うんですか」

「ねえ、われわれはどんな質問をすればいいのかわからない、という特殊な立場にいるんですよ。暗闇のなかでかくれんぼをしている小さな子供みたいなものなんです。手をのばして、あたりをさぐっているところです。ファウラー夫人は自分が知っていると思っていることをぜんぶ話したし——憶測もかなり交えてくれました！　いずれ、彼女の証言が役に立つでしょう。あの五ポンドは将来のために投資したんです」

よく呑みこめなかったが、そのとき、わたしたちはグレン警部に出くわした。

7 パートリッジ氏とリデル氏

グレン警部はかなり陰鬱な顔をしていた。どうやら午後ずっと、煙草店へ入るのを目撃された人全員のリストをつくろうとしていたらしい。

「で、誰かが入るのを見た人は一人もいないんですか」ポアロが訊いた。

「ああ、もちろんいますよ。人目を忍ぶようなようすの長身の男が三人——黒い口ひげの背の低い男が四人——あごひげを生やした男が二人——太った男が三人——どれも見かけない男ばかりで、目撃者たちの言葉を信じるならば、陰険な顔つきをしていました！　そのうち、リヴォルヴァーをもった覆面男の一団が殺しをやっている現場を見たと言いだす者もでてくるんじゃないかな！」

ポアロは同情するような笑みを浮かべた。

「アッシャーを見たという人はいますか？」

「いいえ。いません。それがアッシャーにとってもうひとつ有利な点です。わたしはいましがた州警察本部長に、これは警視庁の仕事だと思うと話したところなんです。この件は州警察が扱う犯罪とは思えないんですよ」

ポアロは重々しく言った。

「同感です」

警部は言った。

「ねえ、ムッシュー・ポアロ、これはいまわしい犯罪です――いまわしい犯罪だ……どうも気にくわない……」

わたしたちはロンドンへもどる前に、さらに二人の人物の話を聞いた。

ひとりはジェイムズ・パートリッジ氏だった。パートリッジ氏は生きているアッシャー夫人を見かけた最後の人物である。五時半に煙草店で買い物をしたのだ。

パートリッジ氏は小男で、銀行員だった。鼻眼鏡をかけた、無味乾燥な、痩せた男であり、言葉づかいがきわめて精確だ。本人と同じようにきちんと整理整頓されたこぎれいな小さい家に住んでいた。

「ミスター――ええと――ポアロ」わたしの友人がわたした名刺に目をやりながら言った。「グレン警部のところからいらした？　どんなご用件ですかな、ポアロさん」

「あなたは、パートリッジさん、生きているアッシャー夫人を見かけた最後の方だそうですが」

パートリッジ氏は指先を合わせて、疑わしい小切手でも見るような目をポアロに向けた。

「それはたいへん異論のあるお言葉ですな、ポアロさん」彼は言った。「わたしのあとで、アッシャー夫人の店へ入って買い物をした客は大勢いたかもしれません」

「もしそうだとしても、彼らはまだ名乗りでてこないんです」

パートリッジ氏は咳払いした。

「なかには、ポアロさん、社会的な義務のなんたるかを心得ない者もおります」

眼鏡越しにフクロウのようにわたしたちを見た。

「まさにそのとおり」ポアロがつぶやくように言った。「あなたは、自分から警察に名乗りでたんでしょうね」

「そうですとも。あのショッキングな事件を聞くとすぐに、わたしの証言が役に立つかもしれないと考え、警察に出頭いたしました」

「たいへん立派な心がけです」ポアロは厳粛な面持ちで言った。「警察で話したことを、わたしにも話していただけるとありがたいのですが」

「いいですとも。わたしはこの家に帰宅する途中で、五時半きっかりに――」

「失礼ですが、どうしてそんなに正確に時間がわかるのですか」

パートリッジ氏は話の腰を折られてややいらだったようだった。

「教会の時計が鳴ったんです。腕時計を見て、一分遅れているのに気づきました。アッシャー夫人の店に入る直前でした」

「いつもそこで買い物をするんですか」

「かなり頻繁に。帰り道ですから。毎週一回か二回、〈ジョン・コットン〉のマイルドを二オンス買う習慣なんです」

「アッシャー夫人のことを何かご存知ですか。家庭の事情とか、経歴とか？」

「何も知りません。買いたい物のことと、ときたま天気について何かちょっと言うだけで、ほかに口をきいたことはありません」

「飲んだくれの夫がいて、殺してやるといつも脅されていたことは知ってましたか」

「いいえ、あの女性のことは何も知りません」

「でも、外見はご存知だ。ゆうべ、いつもとちがったところはありませんでしたか？　取り乱していたとか、腹立たしそうだったとかいったことは？」

パートリッジ氏は考えこんだ。

「気づいたかぎりでは、いつもとまったく同じように見えました」

ポアロは立ちあがった。

「いろいろ答えてくださってありがとうございます、パートリッジさん。ところで、お宅にはABCがありますか。ロンドンにもどる列車の時間を調べたいのですが」

「あなたのすぐ後ろの棚にありますよ」パートリッジ氏が言った。

その棚にはABCのほかに、ブラッドショー、株式年鑑、ケリーの紳士録、紳士録、地方人名録などがあった。

ポアロはABCを手にとり、列車の時間を調べるふりをしてからパートリッジ氏に礼を言い、そこを辞した。

次に会ったのはアルバート・リデル氏で、こちらの会見はまったく性格を異にしていた。アルバート・リデル氏は鉄道の保線員で、わたしたちの会話は、見るからに神経質な妻が洗っている食器類のがちゃがちゃ触れ合う音や、飼い犬のうなり声、リデル氏本人のあからさまな敵意のなかで行なわれた。

リデル氏は無骨な巨漢であり、顔は幅が広く、小さな目は猜疑心が強そうだった。ミートパイを、ひどく濃い紅茶で流しこんでいた。カップの縁越しに、腹立たしげにわたしたちを見た。

「話さなきゃなんねえことはもう話したんだ」とうなるように言った。「おれになんの関係があるってんだ、とにかく。くそいまいましい警察に話したんだぞ。それなのに、くそいまいましいふたりの外人やろうに、最初からまた話さなければなんねえのか」

ポアロはわたしのほうに、ちらっとおかしそうな視線を向けると、言った。

「申し訳ないと思ってますが、でも、しかたがないのでは？　なにしろ殺人事件ですからね。念には念を入れなければなりません」

「そのお客さんが知りたがってることをぜんぶ話したほうがいいよ、バート」妻が不安げに言った。

「おまえは黙ってろ」巨漢が吠えた。

「ご自分から警察に出頭なさったのではありませんね」ポアロがたくみに口をはさんだ。

「なんでそんなことをせにゃならんのだ。おれには関係ねえこった」

「見解の相違ですね」ポアロはとりあわずに言った。「殺人事件が起こったんです――警察は誰が店にいたのか知りたがってます――わたしの考えでは――どう言えばいいかな――自分から話したほうが自然に見えますよ」

「おれには仕事があるんだ。時間があくまでのばしちゃいけねえのかよ――」

「ですが、警察としては、アッシャー夫人の店に入った人物としてあなたの名前があがったので、話を聞きにこないわけにいかなかったのです。あなたの説明で納得していましたか」

「納得しないわけでもあんのかよ」リデル氏は獰猛な口調で迫った。

ポアロは肩をすくめただけだった。

「あんた、何を言いたいんだね。おれに恨みでもあんのか。あの婆さんをやったのは誰なのか、みんな知ってらい——あのくそったれの亭主やろうだ」

「でもその人はゆうべあの店にいなかったし、あなたはいたんです」

「おれに罪をおっかぶせようってのか。へん、そうは問屋がおろさねえよ。どうしておれがあの女を殺さなきゃなんねえんだ。あの女のくそったれ煙草の缶をかっぱらいたかったからか。おれがいわゆるくそったれの殺人狂だってのか。おれが——」

脅すように椅子から立ちあがった。妻が哀れっぽい声でなだめようとした。

「バート、バート——そんなこと言っちゃだめ。バート、誤解されて——」

「落ち着いてください」ポアロが言った。「店にいったときのことを聞きたいだけなんですから。そのことを話したがらないというのは——どう言えばいいか——ちょっと妙に思えますよ」

「話したがらねえなんて誰が言った？」リデル氏はまた椅子に沈みこんだ。「かまわねえよ、なんでも訊いてくれ」

「あなたが店に入ったのは六時でしたね」

「そうとも——一分か二分すぎてたけどよ、ほんとは。〈ゴールド・フレーク〉のパックを買いたかったんだ。おれはドアを押して——」

「じゃあ、閉まってたんですね」

「そうさ。店が閉まってると思った。だけど、そうじゃなかった。なかに入ったら、誰もいなかった。おれはカウンターをどんどんたたいて、ちょっと待ってみた。だけど、誰も出てこないので外に出た。それだけだぜ。これで満足してもらうしかねえな」

「カウンターの後ろに倒れている遺体を見なかった？」

「見なかったよ、あんただって同じだろうさ——さがすつもりで見なきゃな、たぶん」

「鉄道案内がありましたか」

「うん、あった——伏せてあったな。おれは思ったんだ、婆さんは急に列車に乗ってかなくちゃならなくなって、戸締まりするのをうっかり忘れたのかもしれねえってな」

「その鉄道案内を手にとるとか、カウンターの上で動かすとかしましたか？」

「くそったれのしろものにゃ触りもしなかった。おれはいま言ったとおりのことをしただけだ」

「店へ着く前に、誰かが出ていくのを見かけませんでしたか」

「そんなもんは何も見ちゃいねえ。なんでおれに疑いをかけるんだよ――」

ポアロは立ちあがった。

「誰もあなたに疑いをかけていません――いまはまだ。さようなら《ボンソワール》、ムッシュー」

ポアロはあんぐり口をあけた男を残してそこを出ていき、わたしはそのあとにしたがった。

通りに出ると、ポアロは時計を見た。

「大急ぎでいけば、七時二分発に間に合うかもしれない。さあ、急ぎましょう」

8　第二の手紙

「それで？」わたしは期待に胸をはずませて訊いた。

わたしたちがいるのはファースト・クラスの車両で、ほかには誰も乗っていなかった。

その急行列車はアンドーヴァーを発車したばかりだった。

「犯人は」ポアロは言った。「中背の赤毛の男で、左目が軽いやぶにらみです。右足をやや引きずり、肩甲骨のすぐ下にほくろがあります」

「ポアロ？」わたしは大声をあげた。

一瞬、わたしは完全に真に受けてしまった。友の目がいたずらっぽく輝いているのを見て、ようやくからかわれていることに気づいた。

「ポアロ！」今度はとがめるように、わたしは言った。

「友《モナミ》よ、あなたはどうなんです。犬みたいに全幅の信頼をおいてわたしを見つめ、シャーロック・ホームズ風の推理を聞きたがっている！　じっさいには――わたしは殺人犯の外見も、どこに住んでいるかも、どうやって捕まえればいいのかも知らないんです」

「犯人が何か手がかりでも残していてくれたらなあ」わたしはつぶやいた。

「そう、手がかり――あなたを魅了するのはつねに手がかりなんですね。残念ながら、犯人は煙草を吸って、灰を落とし、奇妙な模様のある鋲を打ちつけた靴でそれを踏んで痕跡を残すといったことはしなかった。ええ――彼はそんなに協力的ではありません。でも、少なくとも、鉄道案内があるんです。ＡＢＣが。それが手がかりですよ！」

「じゃあ、犯人がうっかりおき忘れていったと思ってるんですか」

「もちろんちがいます。わざとおいていったんです。指紋がそのことをおしえてくれます」

「指紋はなかったじゃないですか」

「だからです。ゆうべはどんな晩でしたか。暖かい六月の夜でした。そんな晩に、手袋をはめてぶらつくものでしょうか？　そんなことをしたら、人目を引いてしまいます。だから、ＡＢＣ鉄道案内に指紋がなかったのは、注意深くぬぐい去られたからにちがいないのです。犯罪に無関係な人間なら、指紋を残したはずです――犯人なら残しません。だから、わたしたちが追っている殺人犯は、ＡＢＣをわざとおいていったということになる――しかし、それでも手がかりにはちがいありません。あのＡＢＣは誰かが購入した――誰かが現場にもってきたんです――そこに可能性があるんです」

「そこから何かわかると思いますか」

「率直に言って、ヘイスティングズ、わたしはあまり楽観的ではありません。この男、この知られざる男Xは、あきらかに自分の能力が自慢なのです。まっすぐたどれるような痕跡をくっきりと残しているはずがないでしょう」

「じゃあ、ABCはぜんぜん役に立たない」

「あなたが考えているような意味ではね」

「じゃあ、ほかの意味では？」

ポアロはすぐには答えなかった。やがてゆっくりと言った。

「その答えはイエスです。わたしたちが直面しているのは、未知の人物です。彼は暗闇にひそみ、暗闇にとどまろうとしています。しかし、物事のまさにその本質のなかで、彼は自らに光をあてないわけにはいかないのです。ある意味では、わたしたちは彼について何も知りません――べつの意味では、すでにかなり知っている。わたしには、彼の姿がおぼろに見えはじめてきました――はっきりした、きれいな活字体で書く男――上質の便箋を買う男――自分の個性を表現したいという大きな欲求をもった男です。その男は子供のころはたぶん無視され、ないがしろにされていた――心のなかに劣等感をもって成長し――不公平だという感覚と闘ってきた……心のなかの衝動が見えます――自己主張したい――自分に注意を引きつけたいという欲求がますます強くなり、さまざまな出来事や状況によってそれが押しつぶされ――おそらく、屈辱感がさらにつのったのでしょう。そして彼は心のなかでマッチをすり、火薬を満載した列車に火をつけた……」

「それはすべて推測ですよ」わたしは反論した。「現実問題としてなんの役にも立ちません」

「あなたが好むのはマッチの燃えさしと吸い殻、鋲を打ったブーツなんですね！　いつもそうだ。だが、少なくともわたしたちは実際的な問いを投げかけることができます。なぜABCなのか。なぜアッシャー夫人なのか。なぜアンドーヴァーなのか」

「被害者の女性の過去はとても単調なものだったみたいですね」わたしは考えこむように言った。「あの二人の男の話にはがっかりしたな。わたしたちがすでに知っていることしか話してくれなかった」

「じつを言えば、わたしははじめからあまり期待していませんでした。でも、殺人犯の可能性がある二人の男を無視するわけにはいきません」

「まさかあなたは――」

「犯人がアンドーヴァーかその近郊に住んでいるという可能性はありますからね。それが〈なぜアンドーヴァーなのか〉という疑問にたいする答えなのかもしれない。そうです、問題の日の問題の時間にあの店にいたことが知られている二人の男がいるんです。どちらかが、犯人かもしれない。それに、殺人犯ではないことを示すものは、さしあたり、二人ともないんです」

「あの粗暴な大男、リデルです、たぶん」わたしは言った。

「ああ、リデルならただちに除外したいですね。あの男はそわそわして、どなりちらし、あきらかに不安げで――」

「そういう態度が示しているものはたしかに――」

「ABCの手紙を書いた人物とはまさに正反対です。自惚《うぬぼ》れと自信こそ、わたしたちが探し求めなければならない人間の特徴なんですよ」

「いばりちらす人間ですか」

「そうかもしれません。でも、神経質で控えめな態度の下に、虚栄と自己満足をたっぷり隠している人たちもいます」

「まさかあの小柄なパートリッジが――」

「彼のほうがその型《ル・ティプ》ですね。それ以上のことは言えません。彼はあの手紙の差出人ならしそうな行動をとった——ただちに警察にいき——前面に出て——自分の立場を楽しんでいる」

「あなたはほんとうに——？」

「いいえ、ヘイスティングズ。わたし自身は、殺人犯がアンドーヴァーの外からやってきたと信じていますが、しかし、探索のどの小道もおろそかにしてはなりません。それに、わたしは〈彼〉と言いつづけていますが、女性がかかわっているという可能性を除外してはなりません」

「まさか、女性なんて！」

「犯行のやり口は男性のものです。それは認めます。しかし、匿名の手紙というものは、男性よりも女性によって書かれることが多いのです。そのことを心に銘記していなければなりません」

わたしは数分のあいだ黙りこんでいたが、やがて言った。

「これから何をするんですか」

「エネルギッシュなヘイスティングズ」ポアロは言い、わたしに微笑みかけた。

「そんなことはありませんが、でも、何をするんですか」

「何も」

「何も？」わたしの失望がはっきりと鳴りひびいた。「わたしは奇術師ですか？　魔法使いですか？　わたしに何をさせたいんです？」

心のなかで一部始終を思い返してみると、それに答えるのはむずかしかった。それにもかかわらず、何かしなければならない、足元で草が生い茂るままにしてはいけない、とわたしは確信していた。

わたしは言った。

「ＡＢＣがある――それに便箋と封筒も――」

「当然ながら、それについては捜査がなされています。その種の捜査なら、警察はありとあらゆる方法を講じられる。その線で何かが発見できるものなら、気をもむことはありません、警察がかならず発見しますから」

そう言われては、満足するしかなかった。

それにつづく日々、わたしが見たところポアロはこの件について妙に話したがらなかった。その話題をもちだそうとすると、やめてくれと言うように手をふった。

わたしは心のなかで、彼がいやがる理由がわかるような気がした。アッシャー夫人殺害の件では、ポアロは敗北したのだ。ＡＢＣはポアロに挑戦し――ＡＢＣが勝った。わたしの友人は連戦連勝に慣れているので、失敗には過敏に反応する――だからその件について話し合うことさえ耐えられないのだ。たぶんそれは、これほど偉大な人間のなかにひそむ卑小さのあらわれだろうが、われわれのなかで最も理性的な人間でさえ、成功することによってのぼせてしまいがちだ。ポアロの場合は、のぼせるようなことが何年もつづいた。その影響がとうとう目につくようになってきたとしてもさほど不思議ではない。

理解できたので、わたしは友人の弱点を大目にみることにして、もうその件に言及することはしなかった。わたしは新聞で検死審問についての記事を読んだ。それはごく短い記事で、ABCの手紙にはいっさいふれていなかったし、検死陪審員たちの評決は一人ないし数人の未知の人間による殺人ということだった。この犯罪は新聞ではあまり注目されなかった。人目を引く、派手な側面はなかった。裏通りで老女が殺されたというだけだから、まもなく、もっと華々しい話題にとってかわられた。

じつを言えば、それはわたしの脳裡からも薄れかけていた。理由のひとつは、ポアロを失敗と結びつけて考えたくないという気持ちがあったからだろう。だが、七月二十五日、それは突然息を吹き返した。

週末にヨークシャーへいっていたので、ポアロには二日ほど会っていなかった。わたしは月曜日の午後もどり、その手紙が配達されたのは六時だった。封筒をひらいたときに、ポアロがはっと息を呑んだことを覚えている。

「きましたよ」とポアロは言った。

わたしは彼を見つめた——何を言ってるのかわからなかった。

「何がきたんですか」

「ABCにまつわる第二章です」

一分ほど、何がなんだかわからずにわたしは彼を見ていた。その一件は記憶から完全に脱落していたのだ。

「読んでごらんなさい」ポアロが言い、手紙をよこした。

前回と同じように、それも上質の便箋に活字体で書かれていた。


親愛なるポアロ氏——それで、どうかね。最初のゲームは私の勝ちだと思うね。アンドーヴァーの一件はうまくいった、そうではないかね。

だが、お楽しみははじまったばかりだ。今度はベクスヒル・オン・シーに注意を向けるといいぞ。日時は来る二十五日だ。

まあ、お互い楽しめるよな！

敬具

「なんてことだ、ポアロ」わたしは大声をあげた。「これはつまり、この悪党がまたべつの犯罪をやってのけるということですか」

「そうですとも、ヘイスティングズ。ほかに何が考えられます？　アンドーヴァーの事件があれだけで終わると思ってたんですか。わたしが言ったことを忘れたんですか。『これははじまりだ』と言ったんですよ」

「しかし、こんな恐ろしいこととは！」

「ええ、恐ろしいことです」

「わたしたちの前にいるのは殺人狂ですね」

「そうです」

ポアロの落ち着きは、どんな勇ましい言葉よりも印象的だった。わたしは身ぶるいしながら手紙を返した。

翌朝、わたしたちはトップ会談に加わった。サセックス州警察本部長、警視庁犯罪捜査部担当の副総監、アンドーヴァーのグレン警部、サセックス州警察のカーター警視、ジャップ主任警部とクロームというもっと若い警部、著名な司法精神科医のトンプスン博士が一堂に会していた。手紙の消印はハムステッドだが、ポアロの意見ではその事実にはあまり重要性がなかった。

問題は徹底的に話し合われた。トンプスン博士は感じのよい中年男で、学識があるにもかかわらず、医学の専門用語を避け、ごくふつうの言葉で語った。

「疑問の余地なく」と副総監が言った。「二通の手紙の筆跡は同じだ。両方とも同一人物が書いたんだな」

「それにその人物がアンドーヴァー事件の犯人であると推測してもよさそうですね」

「そうだ。いまわれわれは二十五日に——明後日に——ベクスヒルで第二の犯罪が実行されるという明確な警告を受けたわけだ。どういう手を打てばいいだろうか」

サセックス州警察本部長が部下の警視に目を向けた。

「それで、カーター、何ができるかね」

カーター警視は重々しく首をふった。

「むずかしいですね。次の犠牲者が誰なのか手がかりがまるでありません。率直に申しまして、どのような手が打てるというのでしょうか」

「思いついたことがあります」ポアロが低い声で言った。

全員の顔がいっせいにポアロのほうを向いた。

「予告された殺人の被害者は名字がBではじまるだろうと思います」

「まあ、そうかもしれないが」警視が疑わしげに言った。

「アルファベット・コンプレックスだな」トンプスン博士が思案するように言った。

「ひとつの可能性だと言っているのです――それ以上ではありません。先月殺された気の毒な女性の店のドアに、アッシャーという名前がはっきり書かれているのを見たときに、その考えが浮かびました。手紙にベクスヒルという町の名前を見て、場所と同じように被害者もアルファベット順に選ばれているのかもしれないと思いついたのです」

「そうかもしれない」博士が言った。「その一方、被害者のアッシャーという名前は偶然かもしれない――今回の被害者は名前とは無関係で、店をやっている老女というだけかもしれないんです。われわれの相手は狂った人間であることをお忘れなく。これまでのところ、彼は動機についてなんら手がかりを残していません」

「狂った人間に動機などあるんですか」警視がいぶかしむように訊いた。

「もちろんありますとも。きわめて有害な論理が偏執狂の特徴のひとつでしてね。その男は、自分は牧師を殺せと神に命じられている、と思いこんでいるかもしれない――あるいは医者か――あるいは煙草店の老女を。そして、その裏には完璧に首尾一貫した理由がかならずあるんです。アルファベット順という問題に飛びついてはいけないでしょうな。

アンドーヴァーの次がベクスヒルというのは、たんなる偶然かもしれないのです」

「少なくとも、多少の予防措置をとることができるな、カーター、そしてBではじまる名前には特に注意する、とりわけ小さな店の主人に。そして店番が一人だけという小さな煙草店や新聞販売店には見張りをつける。それ以外に何かできるとは思えん。当然ながら、よそ者には可能なかぎり目を光らせる」

警視はうめき声をもらした。

「学期が終わって、学校が休みに入ったというのにですか。今週は外部からかなり大勢が流れこんできますよ」

「できるだけのことをしなければならない」本部長が鋭く言った。

グレン警部が口をひらいた。

「アッシャー事件にかかわる人間には見張りをつけます。あの二人の証人、パートリッジとリデル、それにむろんアッシャー自身にも。彼らがアンドーヴァーを離れるようなそぶりを見せたら尾行をつけます」

さらに二、三の提案とやや散漫な会話がつづき、会議は終わった。

「ポアロ」テムズ河岸を歩きながらわたしは言った。「この犯罪はかならず防げるんでしょうね？」

ポアロは憔悴した顔をわたしに向けた。

「大勢の人間がいる健全な町を、ひとりの男の狂気から？　わたしは怖れています、ヘイスティングズ、とても怖れている。切り裂きジャックは長いあいだ犯行をくりかえしたんですよ」

「ぞっとする」わたしは言った。

「狂気とは、恐ろしいものですよ、ヘイスティングズ……わ、わたしは怖い……と、とても怖いです……」

9　ベクスヒル・オン・シーでの殺人

七月二十五日の朝目覚めたときのことはよく覚えている。あれは七時半くらいだったにちがいない。

ポアロがベッド脇に立って、わたしの肩をそっと揺さぶっていた。その顔を一目見たとたん、寝ぼけていたわたしは完全に意識をとりもどした。

「何事ですか」わたしはぱっと身体を起こして訊いた。

ポアロの答えはごく短かったが、口にした言葉の裏にはさまざまな感情がこもっていた。

「起こりました」

「なんですって」わたしは大声をあげた。「あなたはいま――でもきょうが二十五日なんですよ」

「ゆうべ起こったんです――あるいはきょうの未明に」

わたしがベッドから飛びだして、すばやく身支度をするあいだに、ポアロは電話で聞いたばかりのことを手短に話してくれた。

「若い女の死体がベクスヒルの海岸で発見されました。エリザベス・バーナードという女性であることが確認されました。カフェのウェイトレスで、最近建てられた小さなバンガローに両親と暮らしていました。検死の結果、死亡時刻はゆうべ十一時半から午前一時のあいだということです」

「これが予告された犯罪であることに警察は確信があるんですか」わたしはあわただしくひげを剃りながら訊いた。

「ベクスヒル行きの列車のページがひらかれたABCが、遺体の下から発見されたんです」

わたしは身体をふるわせた。

「なんと恐ろしい！」

「気をつけて《フェト・アタンシオン》、ヘイスティングズ。わたしの部屋で第二の惨劇はごめんです！」

わたしは悔やみながらあごについた血を拭った。

「わたしたちの行動計画は？」わたしは訊いた。

「数分後に車がきます。わたしがここへコーヒーをもってきましょう、そうすれば出発を遅らせずにすみますから」

二十分後、わたしたちはスピードのある警察の車で、テムズ河をわたり、ロンドンをあとにした。

同行したのは、先日会議の席にいたクローム警部で、今回の事件を正式に担当することになっていた。

クロームはジャップとはぜんぜんちがうタイプだった。ずっと若く、寡黙で、偉そうにかまえていた。教育があり、博識だが、いささか自己満足しすぎているようにわたしには思えた。最近、一連の子供の殺人事件で忍耐強く犯人をつきとめ、名声を博したばかりだった。その殺人犯はいまブロードムーア精神障害犯罪者収容所にいる。

今回の事件を担当するのにふさわしいことはあきらかだが、その事実をいささか鼻にかけているように思えた。ポアロにたいする態度はやや慇懃無礼だった。若い者が年長者にたいするように一応は敬意を払っていたが――それがかなりわざとらしく、「パブリックスクール風」だった。

「トンプスン博士から時間をかけて話を聞きました」と彼は言った。「博士は〝一連の殺人〟というか連続殺人にとても興味をもっています。精神的にゆがんだ特殊なタイプの人間が引き起こした犯罪だということで。わたしは門外漢ですからね、むろん、医学的な見地から見てとれる微妙な点は理解できません」彼は咳払いした。「じつを言えば、前回わたしが担当したのは――新聞でお読みになったかどうか知りませんが――メイベル・ホーマー事件でした。マズウェル・ヒル校に通っていた少女です、ご存知でしょうか。犯人のカッパーは異常者でした。彼の犯行であることを立証するのが驚くほどむずかしくて――しかも三度目の犯行だったんです！　あなたやわたしのように、まともな人間に見えました。でも、いろいろな検査法がありましてね――言葉の罠というやつで――最新のものなんです。あなたが活躍なさった時代にはそういうものはありませんでした。いったん口を割らせれば、もうこっちのものです！　こちらに何もかも知られているということがわかると、神経がもたなくなるんです。すぐにべらべらしゃべりだします」

「わたしの時代にも、そういうことはときどきありましたよ」ポアロが言った。

クローム警部はポアロに目を向け、さりげないようすでつぶやいた。

「ほう、そうですか」

わたしたちはしばらく黙りこんだ。ニュークロス駅を通りすぎるころ、クローム警部が言った。

「この事件についてお尋ねになりたいことがあったら、なんなりとおっしゃってください」

「死んだ女性について詳しいことはおわかりでないのでしょうね？」

「年齢は二十三歳で、〈ジンジャー・キャット〉というカフェにウェイトレスとして雇われていて――」

「そういうことではなく。そのう――きれいでしたか？」

「それについては何も聞いていません」クローム警部は言い、出端をくじかれたようすだった。彼の物腰が言っていた。〝まったく――外国の連中ときたら！　みんな同じだ！〟

かすかに面白そうな色がポアロの目に浮かんだ。

「あなたには重要には思えないのですね？　でも、女性にとって《プール・ユヌ・ファム》は、いちばん重要なことなんですよ。そのことで、えてして女性の運命が決まるんです！」

また車内に沈黙がひろがった。

ようやくセヴンオークスに近づいたころ、ポアロがまた会話をはじめた。

「ところで、その女性がどうやって、何を用いて首を絞められたのか、何かご存知ですか」

クローム警部は短く答えた。

「自分のベルトで絞められました——厚手の、編んだベルトだと聞いてます」

ポアロは目を大きく見ひらいた。

「ほほう」と彼は言った。「ようやく、ごく決定的な情報が得られたわけだ。それが何かを物語ってくれる、そうじゃありませんか」

「まだ見てもいませんのでね」クローム警部は冷ややかに言った。

わたしは警部の用心深さと想像力の欠如にいらだちを感じた。

「それが殺人者の特徴をおしえてくれるんです」わたしは言った。「被害者自身のベルトなんだ。犯人の凶悪な心理を示しています！」

ポアロがちらっとこちらを見たが、何を言いたいのか、わたしには読みとれなかった。表面的には面白そうだが、いらだちの気配があるように見えた。たぶん、警部の前であまりべらべら話すなという警告なのだろう、とわたしは思った。

わたしは黙りこんだ。

ベクスヒルに着くと、カーター警視に迎えられた。ケルシーという名前の、感じのいい顔立ちをした聡明そうな若い警部を連れていた。ケルシーは今回の事件で、クローム警部と捜査にあたることになっていた。

「自分で捜査をなさりたいのでしょうな、クローム警部」警視が言った。「だから、事件の主な事実だけお知らせしますから、独自に事情聴取をはじめてください」

「ありがとうございます」クロームが言った。

「被害者の両親には知らせてあります」警視は言った。「むろん、ふたりにはひどいショックだった。聞き取りをはじめる前に気をとりなおす時間を与えておきました。だから、そのふたりからはじめればいいでしょう」

「ほかに家族は——いますね？」ポアロが訊いた。

「姉がいます——ロンドンでタイピストをしています。彼女にも連絡しました。それに青年がひとり——じつは、被害者はゆうべその青年と外出するはずだったようです」

「ABC鉄道案内から何か手がかりが得られましたか」クロームが訊いた。

「そこにあります」警視はテーブルのほうにあごをしゃくった。「指紋はありません。ベクスヒルのページがひらいていた。新しいやつです——あまりひらかれた形跡がないようです。このあたりで買われたものじゃない。それらしい文房具店はぜんぶあたってみたのですがね」

「誰が遺体を発見したんですか」

「新鮮な空気を吸いに早起きする大佐たちの一人です。ジェローム という大佐ですよ。六時ごろ、犬を連れて散歩に出た。海岸をクーデンのほうに歩き、波打ちぎわにいった。

犬が走っていって、何かをくんくん嗅いでいた。大佐は犬を呼んだ。だが、もどってこなかった。大佐はそちらを見て、何か妙だと思った。近づいていき、見てみた。しごく適切にふるまいました。遺体には手を触れず、ただちに警察に電話をよこしたんです」

「で、死亡時刻は昨夜の十二時前後なんですね」

「十二時と一時のあいだで——その点はかなりはっきりしています。われらがふざけた殺人者は、自分の言葉をまもる。彼が二十五日と言ったら、二十五日です——もっとも二十五日になってわずか数分かもしれないが」

クロームはうなずいた。

「そう、犯人はそういう精神構造をしています。ほかには？　何か役立ちそうなことを見た者はいませんか」

「われわれが知るかぎりでは。でもまだ遺体発見からあまり時間がたっていませんからね。昨夜男と歩いている白い服の娘を見かけたという連中がじきに通報してくれるだろうし、昨夜若い男と歩いていた白服の娘は、きっと四、五百人はいるだろうな。すてきな仕事になりそうです」

「では、わたしはもうとりかかったほうがよさそうです」クロームが言った。「カフェと娘の家だ。両方ともいったほうがいいでしょう。ケルシーも一緒に」

「で、ポアロさんはどうなさいますか」警視が尋ねた。

「ご一緒させていただきます」ポアロはクロームに会釈しながら言った。

クロームはやや迷惑そうだとわたしは思った。ポアロにはじめて会ったケルシーは、にやにやしていた。

わが友人にはじめて会う人々が、彼のことをひどく滑稽なやつだと見なすのは、じつに心外だ。

「その娘が首を絞められたというベルトはどうですか？」クロームが訊いた。「ポアロさんは大事な手がかりだと考えておいでのようだ。きっと見たいのだと思いますが」

「とんでもない《デュ・トゥー》」ポアロはすばやく言った。「勘違いなさっておいでです」

「ベルトからは何もわかりませんよ」カーター警視が言った。「革ベルトではない――革なら指紋が検出できたかもしれませんがね。編んだシルクの太いもので――首を絞めるにはもってこいだ」

わたしは身体をふるわせた。

「そうですか」クロームは言った。「では、そろそろ出かけたほうがよさそうだ」

わたしたちは出発した。

最初に訪れたのは〈ジンジャー・キャット〉だった。海岸通りに面している、ごくありふれた小さな喫茶店だった。小さなテーブルにはオレンジ色の格子縞のテーブルクロスがかかり、すこぶる座り心地の悪そうな籐椅子にはオレンジ色のクッションがおかれていた。もっぱらモーニング・コーヒーと五種類のティー（デヴォンシャー、ファームハウス、フルーツ、カールトン、プレーン）、それに婦人客用にスクランブル・エッグや小エビやマカロニ・グラタンなど、わずかばかりの軽い昼食を提供しているような店だった。

　モーニング・コーヒーが客のテーブルに運ばれているところだった。女主人がせかせかとわたしたちを乱雑な奥の部屋に招いた。

「ミス――えーと――メリオンですか」クロームが尋ねた。

　ミス・メリオンは動揺した淑女らしい甲高い声で嘆くように言った。

「それがあたしの名前ですわ。困ったものです。ほんとに困ります。うちの商売がどんなあおりを受けるか、まったく想像もできません！」

　ミス・メリオンは四十くらいで、薄い髪がオレンジ色の（じっさい、彼女自身がショウガ色の猫《ジンジャー・キャット》にびっくりするほど似ていた）痩せこけた女性だった。制服の一部となっている肩かけやフリルをそわそわといじっていた。

「繁盛しますって」ケルシー警部が励ますように言った。「まあ見ててごらんなさい！

ティーを出すのにてんてこまいすることになりますよ！」

「胸が悪くなりますわ。ほんとに胸が悪くなります。人間ってそんなものかと思うと、ほんとにがっかりしてしまいます」

そう言いながらも、ミス・メリオンの目はきらきら輝いた。

「死んだ娘さんについて、話していただけますか、ミス・メリオン？」

「何もありません」ミス・メリオンはきっぱり言った。「まったく何もありませんの」

「ここでどのくらい働いていたんですか」

「この夏で二年目です」

「彼女の働きぶりに満足していましたか」

「いいウェイトレスでしたわ——てきぱきして、いっしょうけんめいで」

「美人ですね、そうでしょう？」ポアロが訊いた。

今度はミス・メリオンが、〝やれやれ、外国人ときたら〟という眼差しを向ける番だった。

「あの娘《こ》はすてきな、清潔な感じの若い娘さんでしたよ」彼女はよそよそしく言った。

「ゆうべは何時まで働いていたんですか」クロームが訊いた。

「八時です。うちは八時に店を閉めるんです。夕食は出しません。夕食のためにくるお客さまはおりません。スクランブル・エッグとティー（ポアロは身ぶるいした）のお客さまは七時ごろまでおいでになるし、それ以後ってこともあるけれど、うちがいちばん忙しいのは六時半までなんです」

「仕事が終わってからどうすごすつもりか、何か言ってましたか」

「いいえ、そんなことは何も」ミス・メリオンは語気を強めた。「それほど親しい間柄じゃないですから」

「誰かが訪ねてきたとか、呼びだしがあったとか、そういったことは？」

「ありません」

「いつもと同じようすでしたか。興奮しているとか、落ちこんでいるとかいったことは？」

「ほんとうに、あたしは何も存じませんの」ミス・メリオンはそっけなく言った。

「ウェイトレスは何人雇っているんですか」

「ふだんは二人です。七月二十日から八月の終わりまでは臨時に二人雇います」

「しかし、エリザベス・バーナードは臨時雇いじゃないんでしょう？」

「ミス・バーナードは常雇いのウェイトレスです」

「もうひとりはどうですか」

「ミス・ヒグリーですか。とてもいい娘さんですよ」

「ミス・バーナードとは友人関係でしたか」

「ほんとうに、あたしは何も存じませんの」

「その娘さんから直接話を聞いたほうがいいだろうな」

「いまですか？」

「さしつかえなければ」

「こちらへよこします」ミス・メリオンは立ちあがりながら言った。「できるだけ早く切りあげてくださいさい。モーニング・コーヒーで忙しい時間帯ですから」

猫のような、ジンジャー色の髪のミス・メリオンは出ていった。

「とてもお上品ですね」ケルシー警部がコメントした。ミス・メリオンの気取った口調を真似た。「ほんとうに、何も存じませんの」

黒髪にバラ色の頰のぽっちゃりした娘が、わくわくしたようすで、黒い瞳をまるくし、やや息をはずませて飛びこんできた。

「ミス・メリオンに言われてきたんですけど」娘は息を切らしながら言った。

「ミス・ヒグリー？」

「ええ、そうです」

「エリザベス・バーナードを知ってましたね？」

「あら、はい、ベティのことは知ってました。ひどいことですね。ひどすぎるわ！　ほんとだなんて信じられない。今朝は女の子たちに言いっぱなしだったのよ、信じられないって！『ねえ、みんな』って、あたし言ったの。『ほんとのことだなんて、とても思えない。ベティがね！　ずっとここで働いてたベティ・バーナードが殺されるなんて！　ほんとに信じられないわ』って、あたし言ったんです。五回も六回も自分をつねって、これは夢じゃないんだって、たしかめたわ。ベティが殺された――それって――ねえ、あたしの言いたいこと、わかるでしょ――ほんとのこととは思えない」

「亡くなった娘さんをよく知ってたんですか」クロームが訊いた。

「そうね、彼女はここであたしよりも長いあいだ働いてたの。あたしは今年の三月から。彼女は去年もここにいたのよ。とてもおとなしい人よ、あたしの言いたいことがわかれば。冗談を言ったり、大笑いしたりする人じゃなかったわ。おとなしいってわけじゃないのよ、とても楽しい人だったりして――でもね、ちがうの――そうね、おとなしいけれど、おとなしくない、あたしの言うこと、わかるかしら」

　クローム警部はきわめて辛抱強かったと言っておこう。豊満なミス・ヒグリーは証人として話を聞いていると、こちらの頭がおかしくなるほどいらいらさせられる。同じことを言い換えて、五回も六回もくりかえす。ところが中身はきわめて乏しかった。

死んだ娘とは親しい仲ではなかった。エリザベス・バーナードはどうやら、ミス・ヒグリーよりも自分のほうが格が上だと思っていたらしい。仕事時間は親しくしていたが、ほかのウェイトレスたちとは仲間づきあいをしなかった。エリザベス・バーナードには、駅の近くにある不動産屋で働いている「お友だち」がいる。〈コート＆ブランスキル〉という不動産屋だ。いいえ、彼はコート氏でもないし、ブランスキル氏でもないの。つまり経営者じゃなくて、事務員なの。名前は知りません。でも、顔はよく知ってるわ。ハンサムよ——ええ、すごくハンサム、それに身なりもとてもいいの。あきらかに、ミス・ヒグリーの心のなかには嫉妬の感情がわだかまっていた。

結局、こういうことだった。エリザベス・バーナードはゆうべの予定についてカフェでは誰にも打ち明けていないが、ミス・ヒグリーの意見では「お友だち」に会うつもりだったらしい。新しい白いドレスを着ていた。「流行のネックラインのすごくすてきなドレス」だったという。

わたしたちはほかの二人のウェイトレスからもそれぞれ話を聞いたが、それ以上の情報は得られなかった。ベティ・バーナードは仕事が終わってからの予定については何も話さなかったし、その夜ベクスヒルで彼女を見かけた者は一人もいなかった。

10　バーナード家の人々

エリザベス・バーナードの両親はベクスヒルの街はずれに、開発業者によって最近分譲された五十戸ほどの小さなバンガローの一軒に住んでいた。その家にはランディドノ荘という名前がつけられていた。バーナード氏は戸惑いの表情を浮かべた、ずんぐりした身体つきの五十五歳前後の男であり、わたしたちが近づくのに気づいたらしく、戸口に立って待っていた。

「どうぞお入りください、みなさん」と彼は言った。

ケルシー警部が口をきった。

「こちらは警視庁のクローム警部です。この事件でわれわれを助けるためにきてくださったんです」

「警視庁ですか」バーナード氏は期待するように言った。「それはよかった。この人殺しの悪党は何がなんでも捕まえてもらいたい。うちのかわいそうな娘が――」こみあげてきた悲しみに顔がゆがんだ。

「そしてこちらはエルキュール・ポアロさんで、やはりロンドンからいらしたんです。それから、えーと――」

「ヘイスティングズ大尉です」ポアロが言った。

「お目にかかれてうれしいです、みなさん」バーナード氏は機械的に言った。「なかにお入りください。かわいそうな妻はお目にかかれるかどうかわかりません。心がつぶれてしまったようで」

しかしながら、わたしたちがバンガローの居間におさまると、バーナード夫人が姿をあらわした。あきらかに泣き崩れていたらしく、目が赤く腫れ、大きなショックを受けた人のようなおぼつかない足取りでよろけるように入ってきた。

「おや、母さん、よかった」バーナード氏が言った。「だいじょうぶなのかい、え?」

妻の肩をやさしくたたき、椅子に座らせた。

「警視さんはとても親切な方です」バーナード氏は言った。「あの知らせのあと、わたしたちの最初のショックがおさまるまで事情聴取をしないと言ってくれました」

「むごすぎます。ほんとに、むごすぎます」バーナード夫人は涙ぐんで言った。「こんなにむごいことはありません《エファーワス》」

声にかすかに歌うような抑揚があり、ちょっとのあいだ、外国訛りかと思ったが、このバンガローに〈ランディドノ〉というウェールズの町の名前がつけられていることを思い出し、「ありません《エヴァーワズ》」を「エファーワス」と発音したのは彼女がウェールズ出身であることを示しているのだと気づいた。

「さぞおつらいでしょうね、奥さん、よくわかります」クローム警部が言った。「心からご同情いたします。しかし、わたしどもとしては、把握できる事実をすべて知りたいのです、できるだけ早く犯人を捕まえるために」

「よくわかります」バーナード氏が同意するようにうなずいた。

「お嬢さんは二十三歳だということですね。ここでおふたりと暮らし、カフェ〈ジンジャー・キャット〉で働いていた、それで正しいですか？」

「はい」

「この家は新しいですね。以前はどこにお住まいでしたか」

「わたしはケニントンで金物業に携わっていました。二年前に店をたたみました。ずっと前から、海辺に住みたいと思ってたんです」

「娘さんは二人いらっしゃいますね」

「はい。姉のほうはロンドンの会社に勤めています」

「昨夜お嬢さんが帰宅なさらなかったとき、心配なさらなかったんですか」

「帰宅していないのを知らなかったんです」バーナード夫人が涙ぐみながら言った。「父さんとあたしは、いつも早めに寝ます。九時には寝るんです。ベティが家に帰っていないことを知ったのは、警察の方がいらして、あたしたちに知らせて——知らせて——」

バーナード夫人は泣き崩れた。

「お嬢さんはいつも——そのう——家に帰るのが遅いのですか」

「いまどきの若い娘たちのことはご存知でしょう、警部さん」バーナード氏が言った。「自立してるのよ、と娘たちは言うんです。夏の夜など、まっすぐ家に帰ろうとはしません。でもまあ、ベティはふつう十一時には帰ってきました」

「どういうふうに家に入るんですか。玄関のドアがあいてるんですか」

「マットの下に鍵がおいてあります——いつもそうしてるんです」

「お嬢さんは婚約しているという噂があるようですが」

「最近はそういうふうに形式ばることはなくなりました」バーナード氏が言った。

「名前はドナルド・フレイザーです。あたしは気に入ってます。とても気に入ってます」バーナード夫人が言った。「かわいそうに、彼にとっては大事件でしょう——このことを知ったら。もう知ってるのかしら」

「〈コート＆ブランスキル〉に勤めているそうですね」

「はい、不動産屋です」

「その青年はお嬢さんの仕事が終わってから毎晩のように会っていたんですか」

「毎晩ではありません。週に一、二度といったところでしょう」

「きのうその青年に会うつもりだったかどうかご存知ですか」

「あの娘はそう は言ってませんでした。ベティは何をするつもりか、どこへ行くつもりかなんてことは、あまり言わないんです。でもいい娘だったんですよ、ベティは。ああ、とても信じられない――」

バーナード夫人はまたすすり泣きはじめた。

「しっかりしなさい、おまえ。しゃんとするんだよ、母さん」夫が励ました。「真実をつきとめなければならないんだからね」

「ドナルドはきっと――きっと――」バーナード夫人はしゃくりあげた。

「さあ、しっかりして」バーナード氏はくりかえした。

「何か参考になることをお話しできればいいと本気で思います――でも事実を言えば、わたしは何も知らないんです。こんなことをやったろくでなしの悪党を発見するために役に立ちそうなことは何も知らない。ベティは陽気な、しあわせな娘でした――あのきちんとした青年とあの娘は――ええ、わたしが若いころなら、親密なつきあいと言いあらわすような仲だった。誰かがあの娘を殺したがるなんて、わたしにはまったく考えられない――意味をなさんのですよ」

「あなたは核心にふれておいでですよ、バーナードさん」クロームが言った。「そこでお願いがあるのですが――お嬢さんの部屋を見せていただきたい。何かあるかもしれない――手紙とか――あるいは日記とか」

「どうぞご覧になってください。どうぞ」バーナード氏は言いながら立ちあがった。

彼が先に立ち、クロームがあとにつづき、それから、ポアロ、ケルシー、そしてわたしがしんがりをつとめた。

ちょっと足をとめて靴ひもを結びなおしていると、タクシーが外でとまり、若い女が飛び降りた。女は運転手に金を支払い、小さなスーツケースをもって、私道を家のほうに急いでやってくる。玄関ドアから入ったとたん、わたしを見つけ、ぴたっと足をとめた。

その女性のようすには何かとても目を引くものがあったので、わたしは興味をそそられた。

「どなた？」彼女が訊いた。

わたしは一、二歩階段を降りた。どう答えればいいのか、まごついた。名前を名乗るべきだろうか。それとも、警察と一緒にきたと言うべきだろうか。しかし、その娘は決断する時間をくれなかった。

「まあ、いいわ」彼女は言った。「見当がつくから」

かぶっていたウールの小さな白い帽子をとり、床に投げだした。身体の向きを少し変えたので、光があたり、もっとよく見えた。

第一印象は、わたしが子供のころ姉妹たちが遊んでいたオランダ人形に似ているということだった。黒い髪を短いボブ・スタイルにカットし、額に前髪を垂らしている。頬骨は高く、身体全体が妙にモダンな角張り方をしているが、魅力的でないということはなかった。美人ではなく――かなり平凡だが――しかし激しさがあり、その力強さのために、つい目を奪われてしまう。

「ミス・バーナードですね」わたしは訊いた。

「ミーガン・バーナードです。あなたは警察の方ね？」

「まあ、正確にはそうじゃないのですが――」

彼女はわたしの言葉をさえぎった。

「あなたにお話しすることは何もないわ。妹はとてもやさしくて明るい娘で、男友だちはいませんでした。それだけです」

そう言うとちょっと笑い、挑むようにわたしを見つめた。

「こういう言い方ならぴったりでしょ」彼女は言った。

「わたしは新聞記者じゃありません、そう思っておられるかもしれませんが」

「あらそう、じゃあ、あなたは何者なの？」ぐるっとまわりを見まわした。「母さんと父さんはどこ？」

「お父さんは警察の人たちを妹さんの部屋へ案内しているところです。お母さんはあちらです。とてもとり乱しておられますよ」

娘は決心したようだった。

「こちらにお入りになって」彼女は言った。

ドアを引いてあけ、そこを通った。あとからついていくと、そこはこぎれいな小さなキッチンだった。

後ろ手にドアを閉めようと思ったが、意外なことに閉まらない。次の瞬間、ポアロがそっとすべりこんできて、背後でドアを閉めた。

「マドモワゼル・バーナードですか」ポアロは軽くお辞儀をした。

「こちらはムッシュー・エルキュール・ポアロです」わたしは言った。

ミーガン・バーナードは値踏みをするような眼差しをちらっとポアロに向けた。

「あなたのことは聞いてます。いまもてはやされている私立探偵さんでしょう?」

「しゃれた表現ではないが——それでけっこうです」ポアロが言った。

娘はキッチン・テーブルの端に腰をおろした。バッグをさぐって煙草をとりだした。それをくわえて火をつけ、二度煙を吐きだすあいまに言った。

「わたしにはよくわかりませんね、ムッシュー・エルキュール・ポアロが、このとるにたりないちっぽけな犯罪になんのかかわりがおありなのか」

「マドモワゼル」ポアロが言った。「あなたがおわかりにならないことと、わたしがわからないことを書いたら、たぶん本一冊分になるでしょう。でもそれは実際面で重要ではありません。実際に重要なのは、なかなか見つからないもののほうなのです」

「それはなんですか」

「死というものは、マドモワゼル、あいにく偏見をつくりだします。亡くなった人にたいして好意的な偏見です。あなたがたったいまヘイスティングズに言ったことが聞こえました。『やさしくて明るい娘で、男友だちはいませんでした』あなたは新聞を嘲るためにそうおっしゃった。まさにそのとおりなのです——若い娘が死ぬと、そういうふうに言われることになります。彼女は明るかった。彼女はしあわせだった。彼女は気だてがよかった。悩みなど何もなかった。好ましくない交友関係はなかった。死者にたいしては、つねにとても寛大な態度がとられるものなのです。いまこの瞬間、わたしが望んでいることがわかりますか。わたしが望んでいるのは、エリザベス・バーナードを知っているが、彼女が死んだことをまだ知らない誰かを見つけることです。そうすれば、たぶん、わたしにとって有益なことを聞けるでしょう——つまり真実を」

ミーガン・バーナードは煙草をふかしながら、数分というもの黙ってポアロを見つめていた。やがて、とうとう口をきった。彼女の言葉に、わたしは呆然とした。

彼女はこう言った。「ベティはどうしようもないおバカさんだったわ」

11　ミーガン・バーナード

すでに言ったように、ミーガン・バーナードの言葉と、それに輪をかけたような、事務的できびきびした口調に、わたしは呆然としてしまった。

だが、ポアロは重々しく頭をうなずかせただけだった。

「さいわいでした《ア・ラ・ボンヌ・ウール》」彼は言った。「あなたが聡明な方で、マドモワゼル」

ミーガン・バーナードは、同じ超然とした口調で言った。「わたしはベティをとてもかわいいと思ってます。でもその愛情に目がくらんで、あの子がどんなおバカさんか見抜けないわけではないし——いろいろあるたびに、あの子に言い聞かせてたんです！姉妹って、そういうものなんです」

「で、妹さんはあなたの忠告にちゃんと耳を傾けましたか」

「たぶん、だめだったわ」ミーガンは皮肉っぽく言った。

「もっと詳しく話していただけますか、マドモワゼル」

ミーガンはちょっとのあいだためらっていた。

ポアロがかすかな笑みを浮かべて言った。

「わたしが言いましょうか。あなたがヘイスティングズに言ったことを聞いていたんです。妹さんは、明るい、しあわせな娘さんで、男友だちはいなかったって。それは――少々《アン・プー》――事実とはちがいませんか」

ミーガンがゆっくり言った。

「ベティには悪気はまったくなかったんです。そのことはわかっていただきたいわ。いつも自分の気持ちに正直だった。週末に遊び歩くような尻軽タイプではないの。そういうことではぜんぜんないんだけど、でも食事に誘われたり、ダンスをしたりするのが好きだったんです、それに、歯の浮くようなお世辞を言われたり、おだてられたり、そういったことが」

「妹さんはきれいだったんでしょう？　ね？」

わたしがこの質問を聞いたのは三回目だが、今回はまともな答えが返ってきた。

ミーガンはテーブルからおりて、スーツケースのところへいき、ぱちんとあけて、何かをとりだすとポアロにわたした。

革製の額のなかに、微笑んでいる金髪娘の肩から上の写真が入っていた。あきらかにパーマをかけたばかりで、ちりちりした巻き毛のかたまりが頭をとりまいていた。微笑みはいたずらっぽく、わざとらしさがあった。たしかに美しいという顔立ちではないが、人目を引く、安っぽいきれいさがあった。

ポアロは写真を返しながら言った。

「あなたと妹さんは似ていませんね、マドモワゼル」

「そうよ！　わたしはごく平凡な娘ですもの。そのことはまえからちゃんと知ってたわ」その事実を、どうでもいいこととして払いのけようとした。

「どういう点で妹さんが愚かなふるまいをしたと考えておいでなんですか。たぶん、ドナルド・フレイザーとのつきあいに関して？」

「まさにそうよ。ドンはとても物静かな人ですけど――彼だって――ええ、当然だけど、ある種の事柄には腹を立てるでしょうし――そしたら――」

「そしたらなんなんですか、マドモワゼル」

ポアロの目がまっすぐミーガンを見つめた。

わたしの気のせいかもしれないが、ミーガンは答える前にちょっとためらったようだった。

「わたしが心配していたのは、ドンがことによると――あの子と手を切るかもしれないということでした。とても残念なことですもの。ドンはとてもまじめで勤勉だし、あの子にとってとてもいい夫になったはずだわ」

ポアロはなおも彼女を見つめつづけた。ミーガンはポアロの凝視に顔を赤らめることもなく、自分も同じような眼差しで彼を見つめ返したが、そこにはほかにも何かがあった——それははじめて会ったときの彼女の挑むような、尊大な態度をわたしに思い起こさせた。

「ではそういうことなんですね」ポアロがとうとう言った。「わたしたちはもう真実を語れないわけですね」

ミーガンは肩をすくめ、ドアのほうへいこうとした。

「じゃあ、もうこれ以上はお役に立てないでしょうから」と彼女は言った。

ポアロの声が彼女をとめた。

「待ってください、マドモワゼル。お話しすることがあるんです。もどってきてください」

かなりしぶしぶというふうに思えたが、ミーガンはポアロの言葉にしたがった。

驚いたことにポアロは、ABCの手紙やアンドーヴァーの殺人事件、遺体のそばで発見された鉄道案内のことなどをすべて語りはじめた。

ポアロは彼女が興味を示さなかったと文句をつけることはできなかっただろう。ミーガンは口をあけ、目に強い光を浮かべて、彼の言葉を一心不乱に聞いていた。

「それはすべてほんとうなんですか、ムッシュー・ポアロ？」

「はい、ほんとうです」

「妹が恐ろしい殺人狂に殺されたと本気でおっしゃってるの？」

「そのとおりですが」

ミーガンは深く息を吸いこんだ。

「まあ！　ベティ――ベティ――そんな――そんなぞっとする！」

「おわかりでしょう、マドモワゼル、あなたにお尋ねすることは、答えていただいても、誰かを陥れるかもしれないという心配をしなくていいんですよ」

「ええ、いまはそのことがわかりました」

「ではこの会話をつづけましょう。そのドナルド・フレイザーという青年は、猛々しい、嫉妬深い気性の持ち主かもしれないと思えたのですが、そうなのですか」

ミーガン・バーナードは穏やかに言った。

「いまはあなたを信頼することにします、ムッシュー・ポアロ。まったくの真実をお話ししましょう。ドンは、さっき言ったように、とても物静かな人です――感情を抑えこむ人です、わたしの言うことがわかっていただければ。自分の気持ちを言葉で言いあらわせないんです。でも、心のなかでは、感情が荒れ狂っているんです。それに嫉妬深い性格です。いつもベティのことでやきもちを焼いていました。ベティに夢中になってい て——もちろんベティも彼のことがとても好きでした。でも、ベティは誰かを好きになったらほかの人がぜんぜん目に入らなくなる、というわけではないんです。そういう性格に生まれついてないんです。ベティは——そうですね、ハンサムな男性に誘われると、ついその気になってしまうんです。もちろん、〈ジンジャー・キャット〉で働いていれば、いつも男性に出会います——とくに夏休みのあいだは。いつも気軽にしゃべるし、からかわれれば、からかい返します。それから外で会い、映画を観にいったりとか、そういうことをします。深い意味はないんです——そういうことはぜんぜんなくて——遊びまわるのが好きなだけ。いつかドンと結婚することになるんだから、いまのうちに楽しめることは楽しんでおくのよ、と口癖のように言ってました」

ミーガンが口を閉じると、ポアロは言った。

「わかります。どうぞ、つづけてください」

「そういうベティの気持ちがドンには理解できなかったんです。ベティが本気でドンのことが好きなら、どうしてほかの男とつきあいたがるのか、彼にはわからなかったんです。一度か二度、ふたりはものすごい喧嘩をしました」

「ムッシュー・ドンは、もう物静かではなかったんですね」

「物静かな人はみんなそうですけど、いったん感情を爆発させると、すさまじいんです。ドンが猛烈に怒ったので、ベティは脅えてしまいました」

「それはいつのことですか」

「一度は一年近く前で、もう一度は――もっとひどい喧嘩でしたが――一ヵ月前でした。わたしは週末で家にもどっていました――それで、仲直りさせたんですけど、そのときベティに分別というものをつけさせようとしました――あんたはおバカさんよと言ったんです。ベティは実害があるわけじゃなし、と言っただけ。そう、それはほんとうですけど、それでもあの子は危ない橋をわたっていたんです。一年前に喧嘩してから、知られなければ大丈夫というわけで、都合のいい嘘をつく習慣が身についてしまいました。最後の大喧嘩は、女友だちに会いにヘイスティングズへいくとドンに言い――ほんとうは男の人とイーストボーンにいったことがばれちゃったからです。その男性は奥さんがいたんですけど、そのことを隠そうとしていたので――万事がややこしくなってしまいました。ベティとドンはひどく言い争い――ベティはまだ彼と結婚してるわけじゃないんだから、誰と出歩こうと自分の勝手だと言い、ドンは真っ青になってぶるぶるふるえながら、こう言いました。いつか――いつか――」

「いつか何をすると？」

「殺すことになるぞって」ミーガンが低い声で言った。

ミーガンは黙りこんで、ポアロをじっと見つめた。

ポアロは数回重々しく頭をうなずかせた。

「だから、当然のことだが、あなたは心配になった……」

「ドンが実際に手をくだしたとは思いませんでした――これっぽっちも！　でも、そのときの話がもちだされて――喧嘩のことや、彼が口走ったことが問題にされるかもしれないと思って――そのことを知っている人が何人かいるので――それが心配だったんです」

またしてもポアロは重々しくうなずいた。

「そのとおりですね。申しあげておくと、マドモワゼル、殺人者の利己的な虚栄心がなければ、そういうことになったはずです。ドナルド・フレイザーに容疑がかけられずにすむとしたら、それはＡＢＣの狂気にかられた自惚《うぬぼ》れのおかげですよ」

ポアロはちょっと黙りこんでいたが、やがて言った。

「妹さんが、最近その所帯持ちか、あるいはほかの男とつきあっていたかどうかご存知ですか」

ミーガンはかぶりをふった。

「わかりません。わたしはこの町にいなかったので」

「でも、どうお考えになりますか」

「妹はその男にたぶん会わなかったでしょう。その男は、一悶着あるかもしれないと思えば、たぶん逃げだしたでしょう。でも、ベティが、またドンにちょっとばかり嘘をついたとしても驚きはしません。だってベティはダンスや映画がすごく好きだったけど、もちろん、年じゅう妹を連れだすほどのゆとりは、ドンにはなかったからです」

「そうだとすれば、妹さんは誰かに打ち明け話をしているでしょうか。たとえば、カフェのほかのウェイトレスに？」

「それはないと思います。ベティはあのヒグリーという子ががまんできないんです。品がないと言って。それにほかの子たちは新しいし。どのみち、ベティは誰かに内緒話をするような子じゃありません」

ミーガンの頭上でベルがリリリと鳴った。

彼女は窓辺へいき、身を乗りだした。そして、ぱっと頭を引っこめた。

「ドンだわ……」

「ここへ連れてきてください」ポアロがすばやく言った。「親愛なる警部どのに見つかる前に、話を聞いておきたいんです」

ミーガン・バーナードは稲妻のようにさっとキッチンから飛びだし、数秒後にはドナルド・フレイザーの手を引いてもどってきた。

12　ドナルド・フレイザー

その青年を見たとたん、気の毒になった。青ざめやつれた顔をして、とまどいの表情を浮かべた目はショックがどれほど大きかったかを物語っていた。

均整のとれた立派な体格の青年で、身長は一八〇センチほどあり、美男ではないが、頬骨が高い、そばかすが浮いた顔は感じがよく、髪は燃えるように赤かった。

「どういうことなんだ、ミーガン」彼は言った。「どうしてここにいるの？　お願いだからおしえてくれないか――いま聞いたばかりなんだけど――ベティが……」

声が細くなって消えた。

ポアロが椅子を押しやると、青年はぐったり腰をおろした。

わたしの友人はポケットから小瓶をとりだし、食器棚にかかっていた手近なカップに中身を注いで、こう言った。

「これをすこしお飲みなさい、フレイザーさん。元気がでますよ」

青年は言われたとおりにした。ブランデーを飲むと、頬にいくらか赤みがもどった。姿勢を正し、またもや若い娘のほうを見た。物腰はとても穏やかで、抑制がきいていた。

「ほんとなんだね」青年は言った。「ベティは――死んだ――殺された？」

「ほんとよ、ドン」

彼は機械がしゃべっているような口調で言った。

「きみはロンドンからきたばかりなの？」

「ええ。パパから電話があったの」

「九時三十分の列車でだろうね？」ドナルド・フレイザーは言った。

彼の心は現実を前にしてすくみあがり、安全を求めてどうでもいいような事柄へと逃れたのだ。

「そうよ」
一、二分のあいだ沈黙がつづき、それからフレイザーが言った。
「警察は？　警察は動いているの？」

「いまは二階にいるわ。ベティの持ち物を調べてるんだと思うわ」

「警察にはわかってないんだろうね、誰が――？　わかってるのかな――」

言葉を切った。

感受性の強い内気な人間のつねで、凶悪な事実をずばりと言葉にするのが苦手なのだろう。

ポアロがやや身を乗りだして、質問をした。ビジネスライクな、いま聞いていることはあまり重要ではないのだという事務的な声で訊いた。

「ミス・バーナードはあなたに、ゆうべ、どこへいくつもりだったか話しましたか」

フレイザーはその質問に答えた。機械的に話しているようだった。

「女友だちとセント・レナーズへいくと言ってました」

「その言葉を信じましたか」

「ぼくは——」急に自動人形に息が吹きこまれた。「いったい何が言いたいんだ」

フレイザーの顔がこみあげる激情に引きつり、脅すような表情を浮かべたのを見て、これでは若い娘なら彼の怒りを怖れるはずだ、とわたしにも納得できた。

ポアロがきびきびと言った。

「ベティ・バーナードは殺人狂に殺されたんです。正直に話していただくことだけが、犯人を追いつめる助けになるのです」

フレイザーの視線がちらっとミーガンに向けられた。

「そのとおりよ、ドン」ミーガンが言った。「自分やほかの誰かの感情を思いやってる場合じゃないわ。あなたの身の潔白を証明しなければならないのよ」

ドナルド・フレイザーはうさんくさそうにポアロを見た。

「あなたは誰ですか。警察の方じゃないでしょう?」

「わたしは警察の人間より優秀です」ポアロが言った。こう言ったのは意識的に傲慢だったからではない。彼としては、たんに事実を述べたにすぎなかった。

「この方に話して」ミーガンが言った。

ドナルド・フレイザーはその言葉にしたがった。

「ぼくは——よくわからない」彼は言った。「ベティがそう言ったときは信じた。彼女がほかのことをするとは考えられもしなかった。あとになって——彼女の態度に何か引っかかるものがあったのかもしれない。ぼくは——ぼくは、そう、ぼくはおかしいなと思いはじめた」

「それで?」ポアロがうながした。

ポアロはドナルド・フレイザーの向かい側に座っていた。目をひたとフレイザーにすえているところは、まるで催眠術をかけているように見えた。

「ぼくはそんな疑いを抱いたことが恥ずかしかった。だけど——だけど、ぼくは疑った……海岸通りまでいって、カフェから出てくる彼女を見張ろうかと思ったんです。じっさいにそこまでいきました。それから、そんなことはできないと思った。ベティがぼくを見て、かっとなるかもしれない。ぼくが見張っていたとすぐに気づくでしょう」

「それでどうしたんですか」

「セント・レナーズへいきました。八時にはあそこに着いていた。それからバスを見まもり——彼女が乗っているかどうかを見張ってたんですが——彼女の気配はまるでなかった……」

「それから？」

「ぼくは——ぼくは頭がおかしくなった。彼女が誰か男と一緒だと信じこんだんです。その男が自分の車に彼女を乗せてヘイスティングズへ連れていったかもしれないと思った。ぼくはヘイスティングズまでいって——ホテルやレストランをのぞき、映画館の近くをうろつき、埠頭へいってみました。まったく愚の骨頂です。たとえ彼女があそこにいたって見つけられそうもないわけだし、いずれにしろ、その男が彼女を連れていくかもしれない場所は、ヘイスティングズ以外にもごまんとあるんです」

フレイザーは言葉を切った。口調は落ち着いていたが、その奥に、ゆうべベティをさがしているときに彼をとらえていた、混乱したやり場のないみじめさと怒りが聞きとれた。

「結局、ぼくはあきらめて――もどってきました」

「何時でしたか」

「わかりません。歩いてもどったんです。家に着いたのは夜中の十二時か、もっとあとだったにちがいありません」

「それから――」

キッチンのドアがあいた。

「おや、ここにいらしたんですか」ケルシー警部が言った。

クローム警部が彼を押しのけて入ってくると、ポアロにちらっと目を向け、二人の知らない人間を一瞥した。

「ミーガン・バーナードさんとドナルド・フレイザーさんです」ポアロが二人を紹介した。

「こちらはロンドンからいらしたクローム警部です」ポアロは説明した。

警部のほうを向いてポアロは言った。

「あなたがたが二階で捜査をしているあいだ、わたしはバーナードさんとフレイザーさんのお二人と話して、この事件に光を投げかけるようなものが見つけられるだろうか、努力してみました」

「ほう、そうですか?」クローム警部は言ったが、頭にあるのは、ポアロのことではなく、二人の新来者のようだった。

ポアロは玄関へ退却しようとした。ケルシー警部が、前を通りぬけるポアロにていねいに話しかけた。

「何かわかりましたか」

だが、彼の注意は同僚のほうにそれ、ポアロの答えを待とうとしなかった。

わたしは玄関でポアロと一緒になった。

「これはと思うようなものはありましたか、ポアロ」わたしは尋ねた。

「殺人者の驚くべき寛大さだけです、ヘイスティングズ」

どういう意味なのかさっぱりわからない、と言う度胸はわたしにはなかった。

13 会議

会議！

ＡＢＣ殺人事件についての思い出の多くは会議だったような気がする。

警視庁での会議。ポアロの部屋での会議。公式の会議。非公式の会議。

今回の会議は匿名の手紙にかかわる事実を新聞に公開すべきか否かを決定するための会議だった。

ベクスヒル殺人事件は、アンドーヴァーの事件よりもはるかに注目をあつめた。

この事件には、むろん、大衆の興味を引く要素がはるかに多かった。まず被害者は若く美しい女性だった。それに、人気のある海辺のリゾートで起こった。

犯罪に関する詳細が毎日のように新聞に載り、焼き直しであることが見え見えでも、くりかえし報道された。ＡＢＣ鉄道案内も脚光を浴びることになった。いちばん人気がある説は、殺人者が地元で購入したので、正体をつきとめる貴重な手がかりになる、というものだった。それはまた、犯人が列車でやってきて、ロンドンへ列車でもどるつもりであることを示していると見られた。

アンドーヴァー殺人事件では、事件そのものがあまりとりあげられなかったために、鉄道案内は見過ごされていた。だからいまのところ、一般大衆の目から見れば、この二つの犯罪には関連性がほとんどなかった。

「方針について決めておかなければならんな」警視庁の副総監が言った。「問題は――どちらがわれわれにとって最良の結果をもたらすかということだ。大衆に事実を知らせ――彼らの協力を仰ぐべきか――つまるところ、数百万の人々が協力して、一人の狂気の人間をさがすことになるのだ――」

「問題の男は狂気のようには見えないはずですがね」トンプスン博士が口をはさんだ。

「――ABCの購入についても目が配られる――といったことになるだろう。それとは逆に、暗闇のなかで捜査をすすめるというのは有利でもある――われわれが捜査していることを犯人に知られずにすむが、もっとも、〝われわれが知っていることを彼はよく知っている〟という事実もある。犯人は手紙を書くことによってわざと注意を自分に引きつけようとした。ふうむ、クローム、きみの意見は？」

「わたしはこういうふうに考えます。公表すれば、〝われわれはABCのゲームに加わったことになる〟。犯人の思うつぼにはまることになる——犯人は注目されたがっているる——有名になりたがっているんですから。それが犯人の狙いなんです。そうではありませんか、博士。犯人は世間をあっと言わせたいんです」

トンプスン博士はうなずいた。

副総監は思案するように言った。

「ではきみは犯人を無視するほうに賛成なんだな。犯人が求めている名声を与えないというわけだ。あなたはどうですか、ムッシュー・ポアロ」

ポアロは何も言わなかった。ようやく口をひらいたときは、言葉を慎重に選んでいるようすだった。

「わたしにとってはむずかしい問題です、サー・ライオネル」と彼は言った。「わたしは、いわゆる当事者です。挑戦状はわたし宛てに送られてきました。わたしが『事実を抑えておけ、公表するな』と言えば、それはわたしの虚栄心が言わせているのだと思われてしまうのではないでしょうか。評判に傷がつくのを怖れているからだ、というふうに。むずかしいです！　公表すれば——すべてを語れば——そこには有利な面がある。少なくとも、一般の人々にたいして警告することになります……その一方で、わたしはクローム警部がおっしゃったように、それこそ殺人犯の思うつぼにはまることだと確信しております」

「ふむ！」副総監があごをこすりながら言った。そしてトンプスン博士のほうを見た。「このいかれたやつに、評判になりたいという必死の願望をかなえるという満足を与えなかったとしよう。やつは何をするだろうか」

「また犯罪に走るでしょうね」トンプスン博士がすぐさま答えた。「強引に公表させようとする」

「それでもし、大々的に公表した場合だが。そしたらどういう反応をするだろうか」

「答えは同じです。一方では、彼の誇大妄想を助長させるし、逆の場合は、彼の妨害をすることになる。結果は同じだ。新たな犯罪です」

「あなたのご意見は、ムッシュー・ポアロ？」

「トンプスン博士に賛成です」

「進退窮まるわけか——え？　どのくらい多くの殺しをこの——狂った男はやる気でいると思いますか」

トンプスン博士はポアロのほうを見た。

「Aからはじめて Zまでみたいですね」と陽気に言った。

「もちろん」とトンプスン博士はつづけた。「Zにはたどりつかないでしょう。その近くにもいかない。その前に、とっくに捕まっている。Xの文字になったらどうするのか、なかなか興味深いところだがな」面白そうに言ってから、ふとうしろめたくなったのか、われに返った。「しかし、そのずっと前に逮捕しているはずです。そうですね、GかHで」

副総監はこぶしをテーブルにたたきつけた。

「なんてことだ。このうえ五件もの殺しがあると言ってるんですか？」

「そこまではやらせません」クローム警部が言った。「わたしを信じてください」

彼の言葉には自信がみなぎっていた。

「アルファベットのどの文字までいくと思いますか、警部さん」ポアロが訊いた。

ポアロの声にはかすかに皮肉っぽいひびきがあった。クロームがポアロに向けた視線には、いつもの冷静な優越感だけでなく、一抹の嫌悪感が混じっているようにわたしには思えた。

「もう一度やったら、捕まえられるかもしれない、ムッシュー・ポアロ。いずれにしろ、彼がFにたどりつく前にかならず逮捕します」

クローム警部は副総監のほうを向いた。

「この事件の犯人の心理について、わたしはかなり明確につかんでいると思います。間違っていたら、トンプスン博士に訂正していただきましょう。ＡＢＣは犯罪を犯すたびに、自信を百パーセント強めているのだと思います。手をくだすたびに、〝おれは頭がいい――やつらはおれを捕まえられない〟と思い、自信満々になり、そのあげく不注意になる。自分の頭のよさを過信し、ほかの人間はすべてバカだと思いこむ。まもなく、ろくに用心しなくなるでしょう。そう考えていいですか、博士」

トンプスン博士はうなずいた。

「だいたいそういうことですね。医学用語を用いないで説明しようとすれば、それ以上に的確に表現できないでしょう。そういう問題についてあなたはご存知でしょう、ムッシュー・ポアロ？　賛成なさいますか」

クローム警部はトンプスン博士がポアロの同意を求めたことが気に入らなかったようだ。この問題について、自分は専門家であり、自分のみが専門家だと考えているのだ。

「クローム警部がおっしゃるとおりです」ポアロは同意した。

「妄想症だ」トンプスン博士がつぶやくように言った。

ポアロはクローム警部のほうを向いた。

「ベクスヒル事件で、何か興味深い証拠が見つかりましたか」

「決定的なものは何も。イーストボーンにある〈スプレンディド〉のウェイターが、故人の写真を見て、二十四日の夜、眼鏡をかけた中年男と一緒に食事をした若い女と同一人物だと認めました。ベクスヒルとロンドンの真ん中くらいにある、〈スカーレット・ランナー〉という幹線道路沿いのナイトクラブでも確認されました。被害者は二十四日の夜九時ごろに、海軍士官風の男と連れだっていたということです。両方とも正しいはずはないが、どちらか一方ならありえます。もちろん、ほかにもたくさん証言がありますが、ほとんどが役に立たない。ＡＢＣ鉄道案内がどこで購入されたかをつきとめることはできませんでした」

「なるほど、きみはできることはすべてやったようだな、クローム」副総監は言った。

「あなたのご意見はどうですか、ムッシュー・ポアロ。どの線に沿って捜査をすすめればいいか、何かお気づきになったことは？」

ポアロはゆっくりと言った。

「ひとつ、とても重要な手がかりがあるように思えます――動機の発見です」

「それはかなり明瞭ではありませんか。アルファベット・コンプレックスです。そうおっしゃったのではないですか、博士？」

「たしかに《サ・ウィ》」ポアロが言った。「アルファベット・コンプレックスというものはあります。しかし、なぜアルファベット・コンプレックスなのでしょう。狂気の人間というものは、自分が手をくだす犯罪について、強固な理由をもっているものです」

「まあ、まあ、ムッシュー・ポアロ」クロームが言った。「一九二九年のストーンマンのことを考えてください。あいつは最後には、ほんのちょっとでも自分の気にさわる人間なら誰でもかまわず殺そうとしたんですよ」

ポアロはクロームのほうを向いた。

「そのとおりです。しかし、あなたがかなりの大物で重要人物であれば、ほんのわずかないらだちの種を排除しても当然だということになるはずです。ハエがあなたの額に何度もとまり、うるさいのでものすごく腹がたつとします。その場合、あなたはどうしますか。そのハエを殺そうとするでしょう。良心が咎めるようなことはまったくありません。あなたは重要人物です――ハエはちがいます。あなたはハエを殺し、いらだちは消えます。自分の行為は正常であり、正当化できるものだとあなたには思えるでしょう。ハエを殺すもうひとつの理由は、公衆衛生について、強烈な関心をもっている場合です。ハエは社会にたいする潜在的な危険のもとです――だから殺さなければならない。心がゆがんだ犯罪者の心理もそういうふうに働きます。今回の事件を考えてみてください――〝もし被害者がアルファベット順に選ばれているとすれば、彼らは殺人者にとっていらだちのもとだったから殺されたのではないということになる〟。その二つが偶然重なった考えるのは不自然すぎるでしょう」

「それが肝心な点ですね」トンプスン博士が言った。「ある事件を思い出します。ある女の夫が死刑を宣告されたんですが、彼女は陪審員を一人ずつ殺しはじめました。その犯罪につながりがあるとわかるまでにしばらく時間がかかりました。どれも偶然の犯罪のように見えたんです。でも、ムッシュー・ポアロがおっしゃるように、相手かまわずでたらめに殺しをする殺人者などというものはいません。殺人者は行く手にたちはだかる人々を（たいして邪魔になるわけではなくても）殺害しようとするか、あるいは信念をもって殺すかです。聖職者や、警察官、あるいは売春婦を抹殺するが、それは彼らを抹殺するべきだと固く信じているからです。わたしが見るかぎり、今回はそれがあてはまりません。アッシャー夫人とベティ・バーナードに共通点があるとは思えない。むろん、性的なコンプレックスという可能性はある。被害者はどちらも女性ですからね。むろん、もっとはっきりするでしょうね、次の犯罪が——」

「おいおい、トンプスン、次の犯罪などと、そんなに気楽に言わんでくれ」サー・ライオネルがいらだたしげに言った。「われわれは犯罪の再発を防ぐためにあらんかぎりのことをするつもりでいるんだぞ」

トンプスン博士は黙ったまま、やや荒っぽく鼻をかんだ。

〝やりたいようにやってくれ〟とその音は言っているように聞こえた。〝あんたが明白な事実に目をつぶりたいんなら——〟

副総監はポアロのほうを向いた。

「あなたが何を言わんとしているのかわかってきましたが、まだ完全に明瞭だとは言えません」

「わたしは自分に問いかけています」ポアロが言った。「殺人犯の心のなかには何があるのだろう、と。彼の手紙を読むかぎり、遊《プール・ル・スポール》びのために——楽しむために——殺しているように見える。しかし、それは真実なのでしょうか。それに真実であるとしても、アルファベット順であるということをべつにすれば、どういう原理にもとづいて被害者を選んでいるのでしょうか。たんに楽しみたいだけであれば、自分が犯人であるという、その事実を宣伝することはないでしょう。宣伝しなければ、捕まる怖れなしにいくらでも殺せるのですから。しかし、じっさいには、われわれがこぞって認めたように、彼は公衆の面前で騒ぎを起こそうとしている——彼の人格をおもてにだそうとしています。彼の人格はどのように抑えられたので、これまで彼が選んだあの二人の被害者を殺すことになったのでしょうか。最後にもう一つ。彼の動機はわたし、エルキュール・ポアロにたいする個人的な憎悪でしょうか。わたしが(自分では知らないが)これまでの探偵生活のどこかで彼を打ち負かしたことがあるので、公然と挑戦してきたのでしょうか。あるいは、彼の敵意はわたし個人にたいするものではなく――ひとりの外国人に向けられているのでしょうか。もしそうであれば、何が彼をそちらの方向へ向かわせたのでしょう。彼は外国人の手でどんな不利益をこうむったのでしょうか」

「どれもきわめて含蓄のある疑問ですな」トンプスン博士が言った。

クローム警部が咳払いした。

「そうですかね。いまのところ、やや答えにくいというだけでしょう、たぶん」

「それでも」ポアロはまっすぐクローム警部を見つめながら言った。「そこに、その疑問のなかに答えがあるんです。この常軌を逸した犯人がこの殺しをやったほんとうの理由がわかれば――われわれにとってどれほど異様な理由であろうと――当人にとっては論理的なのだから――たぶん、次の被害者は誰なのかがわかるはずです」

クローム警部はかぶりをふった。

「行き当たりばったりに殺してるんです――わたしに言わせれば」

「寛大な殺人者です」ポアロが言った。

「え？　なんと言ったんですか」

「わたしは言いました――寛大な殺人者だ、と！　フランツ・アッシャーは妻殺しで逮捕されたかもしれない。ドナルド・フレイザーはベティ・バーナード殺しで逮捕されたかもしれないんです——ABCの予告の手紙がなければ。とすれば、彼はほかの誰かが無実の罪で逮捕されることに耐えられないほど心がやさしいのでしょうか」

「もっと奇妙な例もありますよ」トンプスン博士が言った。「被害者の一人が即死せずに苦しむことになったというので、ひどく動転して五、六人殺しまくったという男たちがいました。でもまあ、それが今回の殺人者の動機だとは思いませんがね。この犯人は自分の犯罪を名誉と栄光の勲章にしたいんです。それがいちばんぴったりする説明ですね」

「公表するか否か、結論には達しなかったようですな」副総監が言った。

「提案してもよろしければ」クローム警部が言った。「次の手紙が届くまで待ってはどうでしょうか。それから公表すればいい——号外か何かで。名前があげられた町ではパニックになるかもしれませんが、Cではじまる名前の人々は用心するでしょうし、そのためにABCはあせってやっきになる。何がなんでもやりとげようと決意を固めるでしょう。それがやつを捕まえるわれわれのチャンスになります」

未来に何が待っているのか、そのときのわたしたちは知らなかったのだ。

14　第三の手紙

ＡＢＣの第三の手紙が届いたときのことはよく覚えている。ＡＢＣが活動を開始したら、遅滞なく対応できるようにあらゆる手が打たれていた。警視庁の若い巡査部長がポアロの家に詰めていて、ポアロとわたしが外出している場合は何が配達されようとすぐさま開封し、時間をむだにせずただちに捜査本部へ連絡することになっていた。

日がたつにつれ、わたしたちはますます神経を逆立てた。クローム警部の傲慢で偉そうな態度は、彼が望みをかけていた手がかりが先細りになるにつれ、ますます傲慢で偉そうになった。ベティ・バーナードと一緒にいたという男たちの外見に関する漠然とした証言は、どれも役に立たないことが判明した。ベクスヒルとクーデンの近郊で目撃されたさまざまな車は、説明がつくか、あとをたどれないかのどちらかだった。ＡＢＣ鉄道案内の購入に関する捜査は、大勢の罪のない人々に迷惑をかけただけで終わった。

ポアロとわたしはと言えば、郵便配達人が郵便物を投げこんでいく聞き慣れた音がドアのところでするたびに、不安で心臓がどきどきした。少なくとも、わたしはそうだったが、ポアロも同じ感情を味わっているにちがいなかった。

わたしにはわかっていたが、ポアロはこの事件について深く心を悩ませていた。ロンドンを離れることを拒み、何かがあったときはその場にいたいのだと言った。暑い真夏の数日間は、ご自慢の口ひげさえだらりと垂れていた——あろうことか、その主《あるじ》が手入れを怠ったのだ。

ABCの第三の手紙が届いたのは金曜日だった。夜の郵便物が十時ごろ配達された。聞き慣れた足音とカタカタという音が聞こえたとたん、わたしは立ちあがり、郵便受けへと飛んでいった。四、五通の手紙があったと記憶している。手にとった最後の手紙は、活字体で宛名が書かれていた。

「ポアロ」わたしは大声をあげた……わたしの声はそのまま消えていった。

「きたんですね？　あけてください、ヘイスティングズ。急いで。一分一秒が大事なんです。計画をたてなければならないんですよ」

わたしは封を引き裂き（このときばかりはポアロもわたしの乱暴なやり方にけちをつけなかった）活字体で書かれた便箋をとりだした。

「読んでください」とポアロが言った。

わたしは読みあげた。

　お気の毒なポアロ氏

　このささやかな犯罪では、自分で思ってるほどの冴えはなかったようだな。もう、盛りをすぎたんじゃないのかね。今回はもっとましなことができるかどうか、お手並みを拝見しようじゃないか。今度は簡単だぞ。三十日にチャーストンだ。何か手を打ってみるんだね。こっちも一方的にやるだけじゃ、ちょっとばかり退屈してしまうからな、わかるだろ！

よい狩りを　　早々

ＡＢＣ

「チャーストン」わたしはＡＢＣ鉄道案内に飛びついた。「いったいどこにあるのかな」

「ヘイスティングズ」ポアロの鋭い声が、わたしの手をとめさせた。「手紙はいつ書かれたんですか。日付がありますか」

わたしは手にした手紙に目を向けた。

「二十七日になってます」わたしは言った。

「わたしの聞き違いじゃないですね、ヘイスティングズ。彼は殺人の日付を三十日と言ってるんですね」

「そのとおりです。ええと、それは――」

「なんてことだ《ボン・デュー》、ヘイスティングズ――気がついてないんですか、三十日はきょうなんですよ」

彼の雄弁な手が壁のカレンダーを指さした。わたしは新聞に目をやり、日付を確認した。

「でもなぜ――どうして――」舌がもつれてしまった。

ポアロは裂かれた封筒を床から拾いあげた。さきほど住所にどことなく妙な感じがすることを、脳のどこかでぼんやり意識したのだが、手紙の内容を知りたい一心で、それにはろくに注意を向けていなかった。

ポアロがそのころ暮らしていたのはホワイトヘイヴン・マンションだった。封筒の宛名はこうだった。M・エルキュール・ポアロ、ホワイトホース・マンション。隅にこう書き殴られていた。「ホワイトホース・マンション、東中央第一郵便区もしくはホワイトホース・コートに名宛人なし。ホワイトヘイヴン・マンションに配達されたし」

「なんてことだ《モン・デュー》！」ポアロが低い声で言った。「偶然はこの狂人に味方するのだろうか。急いで《ヴィット》、急いで《ヴィット》――警視庁に連絡しなければ」

一、二分後、わたしたちは電話でクローム警部と話していた。さすがに今度ばかりは、自制心のある警部も「ほう、そうですか」とは言わなかった。息を殺したののしり言葉がたてつづけに唇からこぼれた。わたしたちの報告をひととおり聞くと、警部は大至急チャーストンに連絡するために電話を切った。

「もう遅すぎる《セ・トロ・タール》」ポアロがつぶやくように言った。

「そんなことありませんよ」わたしは反対したが、たいして希望をもっているわけではなかった。

ポアロは時計に目をやった。

「十時二十分すぎなんですよ。あと一時間四十分しかない。ＡＢＣが手をくだすのにそんなに長いあいだ待っていると思いますか」

わたしはさきほど棚からとった鉄道案内をひらいた。

「デヴォンシャーのチャーストン」わたしは読んだ。「パディントン駅から三二七・六キロメートル。人口六百五十六。かなり小さな町らしいな。ここなら、犯人はかならず目につくだろうな」

「たとえそうでも、また一人の命が奪われるんです」ポアロが低い声で言った。「列車はありますか。列車のほうが車より速いはずですが」

「夜行列車があります――ニュートン・アボット行きの寝台車が――午前六時八分に着いて、乗り換えるとチャーストンに七時十五分に着きます」

「パディントン駅から？」

「ええ、パディントンです」

「それに乗りましょう、ヘイスティングズ」

「出発前に知らせを聞くひまがないですよ」

「今晩悪い知らせを聞こうと、あしたの朝聞こうと、何か問題があるんですか？」

「まあ、そうですが」

わたしはスーツケースに身のまわりのものを詰めこみ、そのあいだにポアロは警視庁にまた電話した。

数分後、ポアロがベッドルームに入ってきて、きびしい声で言った。

「そこでいったい何をやってるんです《メ・ケ・スク・ヴ・フェット・ラ》」

「あなたのためにパックしてるんです。時間を節約したほうがいいと思って」

「ひどく興奮してますね《ヴ・エプルーヴエ・トロ・デモシオン》、ヘイスティングズ。そのためにあなたの手と頭が影響を受けている。それがコートのたたみ方ですか。それにわたしのパジャマをこんなふうにして。シャンプーの瓶が割れたらどうなると思うんです？」

「まったく、ポアロ」わたしはどなった。「生か死かの問題なんだ。服がどうなろうと問題ないでしょう？」

「あなたには平衡感覚ってものがないんです、ヘイスティングズ。きまった時間よりも早く列車がでるわけじゃないんですよ。それに服をだめにしたって、殺人を防ぐ役には立ちません」

スーツケースを断固としてわたしの手からとりあげ、ポアロは自分でパックしはじめた。

手紙と封筒をパディントンへもっていく、とポアロは説明した。警視庁から誰かがくるので、そこで落ち合うのだという。

プラットフォームに着いて目にした最初の人物はクローム警部だった。

警部はポアロの問いかけるような眼差しに答えた。

「知らせはまだありません。手のあいている者は全員、警戒にあたらせています。名前がCではじまる人はすべて、可能なかぎり電話で警告している。チャンスがないわけじゃありません。で、手紙は?」

ポアロは手紙をクローム警部にわたした。

警部はていねいに読み、低い声でののしった。

「まったく悪運の強いやつだ。星まわりまであいつに味方してる」

「これは意図的にやったことだとは思いませんか」わたしは言ってみた。

クローム警部は頭をふった。

「いや。あいつにはルールがある——いかれたルールだが——あいつはそれにしたがっている。それをまもろうとしている。そこにあいつの自慢の種があるんです。フェアな警告です。さて、どうなのかな——賭けてもいいが、あいつはきっとウイスキーのホワイトホースを飲んでるんだ」

「ああ、それはいい思いつき《セ・アンジェニュー》です!」ポアロが、彼らしくもなく、感心したように言った。「手紙を書いているとき、目の前にホワイトホースのボトルがおいてあった」

「そういうことです」クローム警部が言った。「われわれはみな、ときどき同じようなことをします。無意識のうちに、目の前にあるものを写してしまうんです。やつはホワイトまで書き、ヘイヴンではなく、ホースとつづけてしまった……」

警部も列車でチャーストンへ向かうということだった。

「信じられないような幸運で何も事件が起こらなくても、チャーストンは訪ねたほうがいいですから。犯人はそこにいる、あるいはきょうそこにいた。わたしの部下の一人がここで最後まで電話番をしています、何か知らせがある場合にそなえて」

列車が駅から出る寸前に、プラットフォームを駆けてくる男の姿が見えた。男は警部の窓にたどりつき、何か呼びかけた。

列車が駅から出たとき、ポアロとわたしは廊下を急ぎ、警部のいる寝台車のドアをノックした。

「知らせがあったんですね――そうなんですか」ポアロが勢いよく訊いた。

クロームが静かに言った。

「とても悪い知らせです。カーマイケル・クラーク卿が頭を叩きつぶされて死んでいるのが発見されました」

カーマイケル・クラーク卿は、一般大衆にはあまりよく知られていないが、かなり卓越した人物である。引退前は著名な咽喉科の専門医だった。引退時には裕福になっていたので、生涯にわたって情熱を傾けてきた趣味を楽しむことができた――中国陶磁器の蒐集である。数年後、老いた伯父からかなりの財産を相続し、その情熱に身をゆだねることができたので、いまでは中国美術の名高い蒐集家の一人として名前を知られている。

結婚しているが子供はなく、デヴォンの海岸近くに建てた屋敷で暮らし、ロンドンへ出てくるのはごくたまに、重要な美術品の売買が行なわれるときだけだった。あまり深く思いめぐらすまでもなく、うら若い美人のベティ・バーナードにつづく彼の死が、何年ぶりかの恰好の記事となり、一大センセーションを巻き起こすことは、容易に考えられた。いまは八月であり、新聞のネタが乏しいから、事態はさらに悪くなるだろう。

「でもまあ《エ・ビヤン》」ポアロが言った。「大衆に知れわたれば、個人的な努力では失敗したことが、うまくいくようになるかもしれない。これからは国をあげてABCさがしがはじまるでしょう」

「残念ながら」わたしは言った。「それがやつの望みなんです」

「たしかに。しかし、それでも、彼の身の破滅につながるかもしれません。成功にのぼせて、彼は不注意になるかもしれない……わたしはそう願っているのです――彼が自分の頭のよさに陶酔するかもしれないことを」

「この事件のすべてが奇妙ですね、ポアロ」わたしは感嘆するように言った。ふいに一つの考えが浮かんだからだ。「おわかりですか、あなたとわたしが一緒に手がけたなかで、この種の犯罪ははじめてです。これまでの殺人は――そう、いわば、個人的な殺人でした」

「まさにそのとおり。これまではいつも、内部から調べるというのがわれわれの仕事でした。重要なのは被害者の過去でした。重要な点はこうです。〝この死によって利益を得るのは誰か〟これまではつねに〝内部の犯行《クリム・アンテイム》〟でした。今回は、わたしたちが協力するようになってはじめて遭遇した、冷酷な、没個人的な殺人です。外部からの殺人です」

わたしは身ぶるいした。

「ぞっとするな……」

「ええ。はじめから、あの最初の手紙を読んだときから、何かがおかしいと感じてました――ゆがんでいる、と……」

ポアロはいらだたしげな身ぶりをした。

「ここでひるんではいけません……これはほかのありふれた犯罪よりもたちが悪いわけではないのです……」

「悪いですよ……悪い……」

「見ず知らずの人間の命を奪うほうが、身近な、自分にとって大事な誰か、自分を信頼し、信じてくれる誰かの命を奪うよりも悪いというのですか」

「これが悪いのは、狂っているからです……」

「いいえ、ヘイスティングズ。もっと悪いわけではありません。解決がもっと困難であるだけです」

「いや、いや、同意できないな。これははるかに恐ろしいことです」

エルキュール・ポアロは考え深げに言った。

「狂っているからこそ、発見するのは容易なはずだ。悪賢い、正気の人間がやった犯罪は、はるかに複雑です。意図がわかれば……このアルファベット順というやつには、どうもいろいろ矛盾がある。意図が見抜ければ——そうすればすべてが明快に、単純になります……」

ポアロはため息をつき、頭をふった。

「この犯罪はつづけさせてはならない。急いで、わたしは急いで真実を見抜かなければならない……さあ、ヘイスティングズ。少し眠りましょう。あしたはすることがたくさんありますから」

15 カーマイケル・クラーク卿

片側にブリクサム、もう一方の側にペイントンとトーキイがあるチャーストンの町は、トーベイ湾の湾曲した海岸線のなかほどを占めている。十年ほど前までは、ゴルフ場があるだけで、コースの下から緑豊かな田園風景が海へと落ちこみ、人間の営みといえば一、二軒の農家だけという場所だった。だが近年、チャーストンとペイントンのあいだは大きな宅地開発がなされて、海岸線にはいまや小さな家々やバンガローが点在し、新しい道路その他がつくられていた。

カーマイケル・クラーク卿は海を一望できる二エーカーほどの土地を所有していた。彼がそこに建てたのは現代的な設計の家であり——目に快くないこともない白い長方形の建物だった。蒐集品を収蔵している二つの大きなギャラリーをべつにすれば、それはあまり大きな家ではなかった。

わたしたちはそこへ八時ごろに到着した。地元警察の警官が駅でわたしたちを出迎え、事件の経過《オー・クーラン》について話してくれた。

カーマイケル・クラーク卿は、どうやら毎晩夕食後に散歩をする習慣があったらしい。警察が警告の電話をしたとき——十一時をすぎていた——家にもどっていないことが確認された。散歩のコースはいつも同じなので、捜索隊が遺体を発見するまでにあまり時間がかからなかった。後頭部をなんらかの鈍器で殴られていた。遺体の上にページをひらいたABCが伏せてあった。

わたしたちがコームサイド荘（とその家は呼ばれていた）に着いたのは八時ごろだった。ドアをあけたのは年配の執事であり、ぶるぶるふるえる手ととり乱した顔は、その悲劇にどれほど動転しているかを物語っていた。

「おはよう、デヴェリル」と警官が言った。

「おはようございます、ウェルズさま」

「こちらはロンドンからいらしたみなさんだ、デヴェリル」

「こちらへどうぞ」執事は朝食の用意が整っている長いダイニング・ルームへわたしたちを案内した。「フランクリンさまをお呼びしてまいります」
一、二分後、日焼けした、金髪で大柄の男が部屋に入ってきた。
これが死者のたった一人の弟のフランクリン・クラークだった。

緊急事態に遭遇するのに慣れている男らしい、てきぱきした有能そうな態度が身についていた。

「おはようございます、みなさん」

ウェルズ警部がわたしたちを紹介した。

「こちらは犯罪捜査部のクローム警部、エルキュール・ポアロさん、それから――ええと――ヘイター大尉です」

「ヘイスティングズ」わたしは冷ややかに訂正した。

フランクリン・クラークは次々にわたしたちと握手し、そのたびに射抜くような鋭い視線を向けてきた。

「朝食を召しあがっていただきたい」彼は言った。「食べながら現状について話しましょう」

反対の声はあがらなかったので、わたしたちはまもなく、おいしいベーコン・エッグとコーヒーの食事にとりかかった。

「さて」フランクリン・クラークが言った。「ウェルズ警部が昨夜の状況について大雑把に話してくれたのですが――これまでに聞いたこともない異常な話だと思えたことは申しあげておきましょう。クローム警部、かわいそうな兄は殺人狂の犠牲になった、と

「ほんとうに信じるべきなのですか。これは三度目の殺人事件であり、どの場合も遺体のそばにABC鉄道案内がおかれていたというのですか」

「だいたいそういうことです、クラークさん」

「でも、なぜ？　そのような犯罪から、いったいどんな利益が得られるというんですか――たとえどれほど病んだ想像から生まれた犯罪であろうと？」

ポアロが同意するように頭をうなずかせた。

「まっすぐ核心をつかれましたね、フランクリンさん」とポアロは言った。

「この段階で動機をさがしてもあまり意味がないでしょう、クラークさん」クローム警部が言った。「それは精神科医が扱う問題です――もっとも、わたしは異常者の犯罪を手がけた経験がありますし、動機がふつうはきわめて未熟なものであることは申しあげられます。自分の存在を示したい、世間をあっと言わせたいという願望であり――じっさい、彼らは無名の存在から、注目される人間になりたがっているのです」

「ほんとにそんなことがあるんですか、ムッシュー・ポアロ」

クラークはとうてい信じられないという顔をしていた。彼がポアロに問いかけたことを、クローム警部は快く思わなかったらしく、眉をひそめた。

「たしかにあります」とわたしの友人は答えた。

「いずれにしろ、そういう男が長いあいだ発見されずにいるはずがないな」クラークが思案するように言った。

「そう思いますか《ヴ・クロワイエ》。ああ、しかし、彼らはずる賢いんです――そういう連中《セ・ジャン・ラ》は！　それに忘れてならないのは、そのようなタイプは外見的にはふつうぜんぜん目立たないんです――ふつうは誰の目にもとまらず、無視されるか、笑いものにさえなる、そういう人々の一人なんです！」

「いくつかおしえていただきたいことがあるんですが、お願いします、クラークさん」クローム警部が会話に割りこんだ。

「いいですとも」

「兄上は、きのう心身ともにいつもと同じでしたか。思いがけない手紙を受けとりませんでしたか。気が動転するようなことは何もありませんでしたか」

「ありません。いつもとまったく変わりありませんでした」

「動揺するとか、心配するとかいったこともありませんでしたか？」

「すみません、警部さん。そうは言ってません。じつは、動揺したり、心配したりするのは、わたしのかわいそうな兄にとっては、ごくあたりまえのことだったんです」

「それはまたどうして？」

「ご存知ないかもしれませんが、わたしの義理の姉、レディ・クラークはひどく健康を害しています。ここだけの話ですが、はっきり言いますと、義姉《あね》は不治の癌に冒され、もう長くはないのです。義姉の病気が、兄の心に重くのしかかっていました。わたし自身、最近東洋から帰ってきたのですが、兄のあまりの変わりように呆然としたくらいです」

ポアロが質問をはさんだ。

「仮定の話ですが、クラークさん、崖の下で撃たれて亡くなっているお兄さんが発見されたら——あるいは撃たれていて、かたわらにリヴォルヴァーがあったら、あなたが真っ先にお考えになるのはなんでしょうか」

「率直に言って、自殺だという結論に飛びつくでしょうね」クラークが言った。

「やっぱり《アンコール》！」ポアロが言った。

「どういうことですか」

「事実はくりかえすということです。だが、たいしたことじゃありません」

「とにかく、自殺ではなかった」クローム警部がややぶっきらぼうに言った。「クラークさん、兄上は毎晩散歩をする習慣がおありだったそうですが」

「そのとおりです。いつも散歩してました」

「毎晩ですか？」

「まあ、雨が降ればべつです。あたりまえですが」

「で、家のみなさんはその習慣を知っていたんですね」

「もちろんです」

「外の人はどうですか」

「外の人というのはどういう意味でおっしゃってるのかよくわかりません。庭師は知っていたかもしれないし、知らなかったかもしれない。わたしにはわからない」

「村のなかではどうですか」

「厳密に言って、ここには村というものはないんです。郵便局があって、チャーストン・フェラーズには数軒のコテージがある――しかし、村とか店とかはないんです」

「よそ者がうろうろしていたら、かなり目につきますね」

「その逆です。八月には、このあたりはよそ者があふれています。毎日ブリクサムやトーキイやペイントンから、車やバスや徒歩でやってくるんです。あそこの（彼は指さした）ブロードサンズはとても人気があるビーチだし、エルベリー入江も同じです。そこは美しいので有名な場所だから、人々がやってきてピクニックをする。誰もこないでくれればいいんですがね！　六月から七月初旬まで、このあたりがどれほど美しく穏やかさに満ちた場所か、とても想像できないでしょうね」

「では、よそ者がいても、気づかれるとは思われないんですね」

「そいつが——なんというか、異常であるように見えなければ」

「この男は異常であるようには見えません」クローム警部がきっぱりと言った。「わたしが言わんとしていることがおわかりでしょう。この男はあらかじめここを下見して、兄上には夜散歩をする習慣があることを知った。ところで、きのう見ず知らずの男がカーマイケル卿に会いにきた、ということはないんでしょうね」

「わたしが知るかぎりでは——でも、デヴェリルに訊きましょう」

彼は呼び鈴を鳴らし、やってきた執事にその質問をした。

「いいえ、カーマイケル卿に会いにいらした方は一人もおりません。それに、家のまわりをうろついている者も見ておりません。メイドたちも同様です、すでに訊いてみたのですが」

執事はちょっと間をおき、それから尋ねた。「それだけでございますか」

「うん、デヴェリル、もうさがっていいよ」

執事は出ていこうとして、ドアのところで少しさがり、若い女性を通した。

彼女が入ってくると、フランクリン・クラークは立ちあがった。

「こちらはミス・グレイです、みなさん。兄の秘書です」

その女性の北欧系らしい水際だった美貌に、わたしの目はたちまち吸い寄せられてしまった。

アッシュブロンドの髪はほとんど無色で——目は明るい灰色——そして、ノルウェー人やスウェーデン人に見られるような透明感のある輝くような肌。二十七歳くらいだろうか。美人であるだけでなくいかにも有能そうだった。

「何かお役に立てるでしょうか」彼女は腰をおろしながら訊いた。

クラークは彼女のところへコーヒーをもっていったが、彼女は食べるものは断わった。

「あなたはカーマイケル卿の通信物を扱っておいででしたか」クローム警部が尋ねた。

「はい、ぜんぶ」

「カーマイケル卿はABCという署名のある手紙を受けとったことはないのでしょうね」

「ABCですか」彼女はかぶりをふった。「いいえ。ないとはっきり申しあげられます」

「最近、散歩のあいだに誰かがうろついているのを見かけた、とカーマイケル卿からお聞きになったことは？」

「いいえ。そのようなことは何もおっしゃっていませんでした」

「あなた自身はよそ者を見かけていない？」

「うろついているということでしたら。もちろん、この季節には、〈ぶらついている〉と言えるような人が大勢います。ゴルフ・コースや、海へ下っていく小道で、目的もなさそうにぶらぶらしている人にはかなり会います。いわば、この季節に出会う人たちは全員がよそ者なんです」

ポアロは考え深げにうなずいた。

クローム警部はカーマイケル卿が毎晩歩いたという散歩コースを案内してほしいと頼んだ。フランクリン・クラークが先に立ってフレンチ・ドアから外に出ると、ミス・グレイも一緒についてきた。

ミス・グレイとわたしはほかの人々よりもやや後ろにいた。

「この事件は、さぞかし大きなショックだったでしょうね」わたしは言った。

「とうてい信じられませんわ。ゆうべはもうベッドに入っているときに、警察の電話があったんです。階下で騒がしい声がしたので、とうとうわたしは出ていって、何事があったのかと訊きました。デヴェリルとクラークさまがランタンをもってさがしにいくところでした」

「カーマイケル卿はふつう何時に散歩からもどられるんですか」

「十時十五分前ころでしょうか。横のドアからお入りになって、ときにはまっすぐご自分のベッドに向かわれますし、ときには蒐集品があるギャラリーにいらっしゃいます。ですから、警察からの電話がなければ、今朝カーマイケル卿をお起こししにいくまで、お姿が見えないことに誰も気がつかなかったことでしょう」

「夫人にとってもたいへんなショックだったでしょうね」

「レディ・クラークはたくさんモルヒネを投与されておられます。頭がぼんやりなさっていて、まわりで何が起こっているのか、おわかりになる状態ではないと思います」

わたしたちは庭園のゲートからゴルフ・コースに出た。コースの端を横切り、家畜が通らないようにつくられている踏み越し段を越えて、曲がりくねった急な小道に入った。

「ここを下っていくと、エルベリー入江です」フランクリン・クラークが説明した。「でも二年前に幹線道路からブロードサンズを経てエルベリー入江まで通じる新しい道路ができたので、この道はもう通る人間がいなくなりました」

わたしたちはその道を下った。坂を下りきったところから、両側にイバラとワラビが生い茂った狭い小径が海まで通じていた。小高い草地に着くと、突然、目の前に海ときらめく白い小石のビーチがひらけた。ずんぐりと丸みを帯びた暗緑色の樹々が繁り、海辺までの傾斜地をおおっている。心を奪われる場所だった——白と深い緑——そしてサファイア・ブルー。

「美しいですね！」わたしは感嘆の声をあげた。

クラークが意気ごんでわたしを見た。

「でしょう？　なんでみんな海を越えてリヴィエラへいきたがるんでしょうね。こんなに美しい景色があるのに！　わたしは世界じゅうまわりましたが、神に誓って、こんなに美しいところはほかにありません」

それから自分の熱意が恥ずかしかったのか、彼はもっと事務的な口調で言った。

「ここが兄の夜の散歩道でした。ここまでやってきてから小径をもどり、いまやってきた左の道からもどるのではなく、右へ曲がり、農家の前を通って野原を横切り、家へ帰るのです」

わたしたちはなおも歩き、野原を半分ほど進んだところにある生け垣に近い、遺体が発見された場所へといった。

クロームがうなずいた。

「ここなら楽なものだな。その男はここの影のなかに立っていた。兄上は殴られるまで何も気づかなかったでしょう」

わたしのかたわらにいた若い女性が身体をふるわせた。

フランクリン・クラークが言った。

「しっかりしなさい、ソーラ。かなり凶悪な事件だが、事実にひるんでも役には立たない」

ソーラ・グレイ——彼女にふさわしい名前だ。

わたしたちは家にもどった。写真を撮られたあとの遺体が運びこまれていた。

広い階段を登っていくと、とある部屋から黒い鞄を手にした医者が出てきた。

「何か気づかれたことがありますか、先生」クラークが尋ねた。

医者は頭をふった。

「ごく単純な事件だな。専門的なことは検死審問のときに話します。とにかく、兄上は苦しまなかった。即死だったにちがいない」

医者はそこを離れた。

「わたしはちょっとレディ・クラークにお目にかかってきます」

看護婦が廊下のさらに先の部屋からあらわれ、医者は彼女のほうへいった。

わたしたちは医者が出てきた部屋に入った。

わたしはかなりあわててその部屋を出た。ソーラ・グレイはまだ階段の上に立っていた。

彼女の顔には、脅えたような奇妙な表情が浮かんでいた。

「ミス・グレイ――」わたしは言葉を切った。「どうかしたんですか」

彼女はわたしを見た。

「考えていたんです」彼女は言った。「Dのことを」

「Dのこと?」わたしはバカみたいに彼女を見つめた。

「ええ。次の殺人です。何か手を打たなければなりません。やめさせなければならないんです」

クラークがわたしの後ろの部屋から出てきて、背後から言った。

「何をやめさせなければならないんだね、ソーラ」

「この恐ろしい殺人です」

「そうだな」彼は挑むようにあごを突きだした。「ムッシュー・ポアロとそのうち話をしたいが……クロームは有能ですか」思いがけないことに、彼はその言葉を放った。

とても頭のいい警官だとみなされている、とわたしは答えた。

わたしの声には熱意が欠けていたのかもしれない。

「あの男の態度にはいらいらさせられる」クラークが言った。「自分はなんでも知ってるぞという顔をしてる――だが、何を知ってるというのだ。わたしにわかるかぎりでは何も知ってないじゃないか」

ちょっとのあいだ黙りこんだ。それから彼は言った。

「金を賭けるとしたら、わたしはムッシュー・ポアロに賭けますね。じつは、計画があるんです。でも、そのことはあとで話しましょう」

クラークは廊下の先のほうにいき、さきほど医者が入っていった部屋のドアをノックした。

わたしは一瞬、躊躇した。ソーラが目の前をじっと見つめていた。

「何を考えていらっしゃるんですか、ミス・グレイ」

彼女はわたしのほうに目を向けた。

「わたしは考えていたんです、いま彼はどこにいるのかって……殺人犯のことですけど。これが起こってからまだ十二時間もたっていませんが……そう！　ほんものの千里眼て、いないんでしょうか、犯人がいまどこにいるか、何をしているのかを見透せる人は……」

「警察が捜索しています――」わたしは言いはじめた。

わたしの陳腐な言葉が呪縛を解いた。ソーラ・グレイはわれに返った。

「ええ」彼女は言った。「もちろんです」

ソーラは階段を降りていった。わたしはさらにそこに立ち、心のなかで彼女の言葉を嚙みしめていた。

ＡＢＣ……。

いま、いま、いまどこにいるのだろう……？

16　ヘイスティングズ大尉の記述ではない

アレグザンダー・ボナパート・カスト氏はほかの観客とともにトーキイ・パラディアム劇場から出てきた。そこでお涙ちょうだいの映画、《一羽の雀も》を観ていたのだ……。

午後の日差しのなかに出てくると、ちょっとまばたきし、彼の特徴となっている迷い犬のような態度でまわりをこそこそ見まわした。

自分につぶやいた。「それも一つの考えだ……」

新聞の売り子たちが叫びながら通りかかった。

「最新のニュースだよ……チャーストンに殺人狂……」

売り子たちがもっているプラカードにはこう書かれていた。

チャーストンの殺人事件。特報。

カスト氏はポケットをさぐって硬貨を見つけ、新聞を買った。その場でひらこうとはしなかった。

プリンセス公園に入り、ゆっくりした足取りでトーキイ港に面したベンチにいき、そこに腰をおろして新聞をひらいた。

大見出しにはこうあった。

カーマイケル・クラーク卿、殺害さる。

チャーストンで恐るべき惨劇。

殺人狂の犯行か。

その下の記事はこうだった。

わずか一カ月前に、ベクスヒルにおけるうら若いエリザベス・バーナード殺害事件が全イギリスを震撼させた。その事件現場にＡＢＣ鉄道案内が残されていたことは記憶に新しい。今回もカーマイケル・クラーク卿の遺体のかたわらからＡＢＣが発見され、警察はその二つの事件が同一犯人によるものだという確信を強めている。

殺人狂がわがイギリスの海辺のリゾートをめぐり歩いているという可能性があるのだろうか……

カスト氏の横に座っていた、フランネルのズボンに鮮やかなブルーのエアテックスのシャツという恰好の青年が言った。

「いやな事件だね――え？」

カスト氏は飛びあがった。

「ええ、ほんとに――とても――」

両手がぶるぶるふるえて、新聞をかろうじてつかんでいることに青年は気づいた。

「気がふれた連中のことはわかんないね」青年はべらべらしゃべった。「気がふれてるようには見えないんだ。やつらはあんたやおれみたいに見えるのさ……」

「そうだと思います」カスト氏は言った。

「そうなんだ。ときには戦争で頭がおかしくなっちまう――もうもとにはもどらないんだ」

「そう――そのとおりでしょうね」

「おれは戦争が好きじゃない」青年は言った。

カスト氏は青年のほうを向いた。

「わたしだって疫病や眠り病や飢餓や癌が好きじゃありません……それでもそういうことはやっぱり起こるんです！」

「戦争は防げるぜ」青年はきっぱりと言った。

カスト氏は笑った。しばらく笑いつづけた。

青年はぎょっとしたようすだった。

〝こいつもどうやらいかれてるな〟と青年は思った。

声に出して、青年は言った。

「すいませんでした。あなたも戦争にいったんですね」

「いきました」カスト氏は言った。「その――そのせいで――おかしくなったんです。頭がへんになった。痛むんです。ひどい頭痛がする」

「そうですか！　お気の毒に」青年はおずおずと言った。

「ときどき、自分で自分のしていることがわからなくなる……」

「ほんとに？　あの、おれはそろそろいかなくちゃ」青年は言い、あわててそこを離れた。いったん誰かが自分の健康について話しはじめるとどういうことになるか、青年はよく知っていたのだ。

カスト氏は新聞とともにそこに残った。

新聞を読み、また読みなおした……。

人々が彼の前を右に左に通りすぎていった。

その多くが殺人事件について話していた……。

「ぞっとするな……中国人と関係があると思うかい？ そのウェイトレスは中国人のカフェにいたんじゃなかったっけ……」

「じっさい、ゴルフ場だと……」

「ビーチだって聞いたけど……」

「――でも、あなた、あたしたちがおやつをもってエルベリーへいったのはきのうなのよ……」

「――警察はきっと捕まえる……」

「――すぐにも逮捕されるそうよ……」

「――きっとやつはトーキイにいる……ほら、殺しをやった女がいたじゃないか、いわゆる……」

カスト氏は新聞をていねいにたたみ、ベンチにおいた。そして立ちあがり、落ち着いた足取りで街のほうへ向かった。

娘たちがすれちがった。白やピンクやブルーの服、夏服やパジャマスタイルのドレスや、ショートパンツ姿の娘たち。彼女たちは、けらけら、くすくす笑っていた。彼女たちの目が通りすがりの男たちの品定めをしていた。

誰ひとり、カスト氏にちらっと目を向けるだけで、それ以上見つめようとしなかった……。

彼は小さなテーブルにつき、ティーとデヴォンシャー・クリームを注文した……。

17　待ち時間

カーマイケル・クラーク卿の殺害事件が起こったとたん、ＡＢＣ事件は前面に躍りでた。

それだけが紙面を占領した。ありとあらゆる「手がかり」が発見されたという記事が載った。逮捕は間近だと報道された。殺人とはほとんど関係のないような人物や土地の写真まで載った。インタビューを承知する者は誰かれかまわずインタビューされた。下院議会でも質疑応答がなされた。

アンドーヴァーの殺人はいまやほかの二件とひとまとめにされた。

警視庁の見解では、事件を完全に公表することにより、殺人犯を逮捕する最大のチャンスが生まれるということだった。大英帝国の国民すべてが、素人探偵の軍団になった。

《デイリー・フリッカー》紙は、次のような見出しをつけるというすばらしい霊感に恵まれた。

犯人はあなたの町にいるかもしれない！

ポアロはむろん、渦中にいた。彼に送られた手紙は発表され、複写された。彼は犯罪を防げなかったというので全面的に非難され、まもなく殺人犯の名前をあげるところだというので擁護された。

記者たちがインタビューを求めてますます押しかけ、彼を煩わせるようになった。

ムッシュー・ポアロのきょうの発言

そのあとに、たいていはコラム半分ほどの愚かしい記事がつづく。

ムッシュー・ポアロは状況を深刻だとみなす。

ムッシュー・ポアロは成功前夜。

ムッシュー・ポアロの親友、ヘイスティングズ大尉は本紙特派員に語る……。

「ポアロ」わたしは悲鳴をあげた。「お願いだから信じてください。あんなことは何も言ってませんよ」

わたしの友人はやさしく答えた。

「わかってますよ、ヘイスティングズ——わかってます。口にされた言葉と書かれたもの——そのあいだには驚くほどの深淵が口をあけているんです。もともとの意味をまったく逆にしてしまうようなやり方があるんですよ」

「あなたに思われたくないんです、わたしがあんなことを——」

「ご心配なく。どれも、つまらないことです。こういう愚かな記事は、役に立つことさえあるんですよ」

「どういうふうに？」

「そうですね《エ・ビヤン》」ポアロはいかめしく言った。「わたしがきょうの《デイリー・ブラーグ》に語ったとされていることをわれらの狂った犯人が読んだら、敵としてのわたしにたいする敬意をすべて失うでしょうね！」

わたしは捜査について実際的なことは何もなされていないという印象をみなさんに与えてしまったかもしれない。だが、ほんとうはその逆で、警視庁と各地の地方警察はごく小さな手がかりでも精力的に追及していた。

ホテルや貸部屋や賄いつきの下宿屋をやっている人々など――犯行現場を中心とする広大な地域内の全員にたいして、くわしい聞きこみがなされた。

想像力豊かな人々から、「きょろきょろしているとても妙なようすの男を見た」とか「陰険な顔のこそこそした男に気づいた」という話が何百ももちこまれ、どれも細部にいたるまで厳密に聴取された。どれほどあいまいな情報でもないがしろにされることはなかった。列車、バス、電車、鉄道のポーター、車掌、書店、文房具商などに――たゆまぬ事情聴取が行なわれ、検証された。

少なくとも二十人が拘束され、問題の夜の彼らの行動について警察が満足するまで尋問された。

その結果は、完全な徒労に終わったわけではなかった。いくつかの証言は潜在的な価値があるものとして注目され記録されたが、残念ながらさらに証拠が発見されなければ、それだけではどうにもならなかった。

クローム警部と同僚たちが根気よく調査にあたった一方で、ポアロはわたしの目には妙に無気力に見えた。わたしたちはときどき言い争った。

「でも、わたしに何をしろと言うんですか。お定まりの捜査なら、警察のほうがわたしよりもうまいんです。いつだって――いつだってあなたはわたしを犬みたいに駆けずりまわらせたいんですね」

「そうする代わりに、あなたは座りこんで、まるで――まるで――」

「分別のある人間のように！　わたしの力は、ヘイスティングズ、脳にあるんです、足じゃなく！　たとえあなたにはぐうたらしているように見えても、そのあいだずっとわたしは思いめぐらしているんです」

「思いめぐらす？」わたしは大声をあげた。「いまが思いめぐらすときだって言うんですか」

「そうです。一千回くりかえしてもいいが、そのとおりです」

「でも、思いめぐらして何が得られるんですか。三つの事件に関する事実は頭に焼きつけられているでしょうに」

「わたしが思いめぐらしているのは事実ではありません――殺人者の精神状態です」

「異常者の精神状態ですか！」

「そのとおり。だからこそ、短い時間ではむりなのです。殺人者がどんな人間なのかがわかれば、何者なのかを知ることができるでしょう。いろんなことが、だんだんわかってきました。アンドーヴァーの殺人のあと、わたしたちは殺人者について何を知りましたか？　ほとんど何もわからなかった。ベクスヒル殺人のあとは？　ほんのわずかです。

チャーストン殺人のあとはどうか。さらに少しわかりました。わたしには見えはじめました――あなたが見たいと思うものではありません――顔や姿かたちのおおよそではなく、心のおおよそがね。特定の明確な方角へと動き、働いている心です。また殺人があれば――」

「ポアロ！」

わたしの友人は、冷静な目でわたしを見た。

「でも、そうなんです、ヘイスティングズ。また殺人があることはほぼ確実だと思いますよ。多くがそのチャンス《ラ・シャンス》にかかっています。われわれの未知の人物《アンコニュ》は、これまで運がよかった。次はツキが落ちるかもしれない。だが、いずれにしろ、もう一回犯罪があれば、はるかに多くがわかるでしょう。犯罪とはいろいろなものを暴露してしまうものです。思いどおりに手口を変えようとしてみても、好みや習慣、心のありようを変えようとしても、その行動によって、魂があらわになってしまうのです。この事件にはまぎらわしい兆候があります――ときおり、二つの知性が存在しているように見える――だが、まもなく輪郭がおのずとあきらかになるでしょう、わたしは知ることになる」

「誰なんですか」

「いえ、ヘイスティングズ、その男の名前と住所はわかりません！　わたしが知るのは、彼がどういう種類の男かということです……」

「それから……？」

「それから《エ・アロール》、魚を釣りにいきます《ジュ・ヴェ・ア・ラ・ペッシュ》」

わたしはとまどっているように見えたのだろう。ポアロはつづけた。

「わかるでしょう、ヘイスティングズ、熟練した釣り人は、どの魚にはどの毛針がいいかを正確に心得ています。わたしはぴったりの毛針を使うつもりです」

「それから？」

「それから？　それから？　あなたは優越感を発散させて『ほう、そうですか』と言うクロームと同じようにたちが悪いですね。よろしい《エ・ビヤン》、それから彼は針ごと疑似餌に食いつき、わたしたちは釣り糸をたぐる……」

「そのあいだ、人々があちらでもこちらでも死んでいく」

「三人ですよ。それに、どのくらいでしたっけ——百二十人くらいかな——毎週、交通事故で死んでいるんです」

「それとこれとはぜんぜんちがいますよ」

「死ぬ者にとってはたぶんまったく同じことでしょう。ほかの者にとっては、親戚や友人にとっては——ええ、ちがいがあるでしょうが、しかし、少なくとも一つだけこの事件には喜ばしいことがあります」

「喜ばしいことがあるというなら、ぜひとも聞かせてもらおうじゃないですか」

「辛辣になったって無駄《イニユテイル》ですよ。喜ばしいのはね、無実の人間を苦しめることになるぬれぎぬの影さえないことです」

「そのほうが悪いのではありませんか」

「いいえ、いいえ、一千回もいいえと言うしかありません！　疑惑につつまれて生きるほど恐ろしいことはありません――自分が見張られ、愛が恐怖に変わるのを見ることほど――近しい、愛しい人々を疑いの目で見なければならないほど恐ろしいことはありません――それは有毒です、瘴気のようなものです。そうです、無実の人の人生をゆがめた、とABCを非難することだけはできません」

「あなたはもうじきあいつの弁護をはじめることでしょうよ」わたしは苦々しげに言った。

「いけませんか。彼は自分の行為が完全に正当化されると信じているかもしれない。わたしたちは、最後には、彼のものの見方に同情するかもしれないんです」

「本気で言ってるんですか、ポアロ？」

「残念ながら！　あなたにショックを与えてしまったようですね。最初はわたしの無気力によって――今度はわたしの見解によって」

わたしは頭をふっただけで何も答えなかった。

「それでも」ポアロは一、二分たってから言った。「あなたを喜ばせる計画がひとつあります――活動的なことで、じっとしていることではないのですからね。しかもそれにはたくさんの会話が必要で、何も考えなくていいんです」

彼の口調がどうも気に入らなかった。

「それはなんですか」わたしは用心深く訊いた。

「それはね、被害者の友人や親戚や使用人たちから、知っていることをすべて引きだすことです」

「彼らが何かを隠していると疑っているんですか、それじゃ」

「意図的にではありませんがね。しかし、知っていることをすべて話すといっても、そのときかならず取捨選択をしているんです。わたしがあなたにこう言ったとします、きのう何をしたか話してください。するとあなたはたぶんこう答える。『九時に起きて、九時半に朝食をとった。ベーコン・エッグとコーヒーだった。それからクラブへいった、とかなんとか』あなたはたとえばこういうことは言いません、『爪が折れちゃったので、切らなければならなかった。ベルを鳴らして、ひげ剃り用の湯を運んでこさせた。テーブルクロスに少しコーヒーをこぼしてしまった。帽子にブラシをかけてからかぶった』何もかも話すことはできません。だから取捨選択するんです。殺人について話す場合は、自分が重要だと思ったことを選びます。しかし、間違っている場合が多いんです！」

「それじゃ、正しいことをどうやって聞きだすんですか」

「いま言ったように、ただ会話をすることによって。おしゃべりすることによって！ある出来事か、ある人か、ある日のことを何回もくりかえし話し合うことによって、それまで見つからなかった細部が浮かびあがってくるんです」

「どういう細部ですか」

「当然ですが、わたしは知りませんし、見つけようと思っていたことではないはずです。とにかく、もう充分に時間がたったので、そろそろなんでもないことがまた重要に思えてくるでしょう。三つの殺人事件があったのに、事件に関する事実や言葉がただ一つもでてこないというのは、あらゆる数学的な法則に反します。行く手を指し示す、何か些末な出来事、些末な言葉があるにちがいない！ 干し草の山に針をさがすようなものであることは認めます――しかし干し草の山には針があるんです――わたしには確信があります！」

わたしには、ひどくあいまいで、漠然としているように思えた。

「あなたにはわかりませんか。あなたの頭ときたら、お屋敷勤めをしているメイドの頭よりも鈍いんですね」

彼は一通の手紙を投げてよこした。公立小学校で学ぶような斜めの書体で几帳面に書かれていた。

拝啓

ぶしつけに手紙を書くことをお許しいただければさいわいです。かわいそうなおばの事件と同じような恐ろしい殺人事件が二度あってから、ずっと考えつづけていました。あたしたちはいわば同じ船に乗りあわせているように思えます。新聞であの若い女性の写真を見ました。ベクスヒルで殺された若い女性のお姉さまにあたる方の写真です。あたしは思いきってその女性に手紙を書き、仕事をさがしにロンドンへいくけれど、あなたかあなたのお母さまのところで働かせてもらえないだろうかとお尋ねしました。それに一人で考えるより二人で考えたほうがいいはずだし、お給料はあまり望んでいない、この悪魔が誰なのか知りたいだけだけれど、自分たちが知っていることを話し合えば、そこから何かがわかり、もっとうまくいくのではないかと書きました。

その若い女性はとても親切な手紙をくださって、自分は会社に勤め、寮で暮らしているけれども、あなたに手紙を書いてはどうか、とすすめてくださいました。ご自分も同じようなことを考えていたのだそうです。そしてあたしたちは同じ災難に見舞われたので、力を合わせたほうがいいとも書かれていました。それであたしはロンドンにきたことをお知らせするために、この手紙を書きました。住所は次のとおりです。

ご迷惑をおかけしているのでなければよいのですが。

メアリ・ドラウアー　敬具

「メアリ・ドラウアーはとても頭がいい女性です」とポアロは言った。

彼はもう一通の手紙をとりだした。

「読んでごらんなさい」

それはフランクリン・クラークからの手紙で、ロンドンへいくので、さしつかえなければ翌日ポアロを訪問したいと書かれていた。

「がっかりすることはないんですよ、友よ《モナミ》」ポアロは言った。「行動がはじまります」

18 ポアロ、スピーチをする

フランクリン・クラークは翌日の午後三時にやってくると、よけいな前置きなしで、まっすぐ本題に入った。

「ムッシュー・ポアロ」と彼は言った。「わたしは満足していません」

「そうですか、クラークさん？」

「クロームが有能な警官であることは疑いませんが、しかし、率直に言って、腹が立つんです。自分がいちばんよく知っているというあの鼻持ちならない態度！　わたしはチャーストンで、こちらにおいでのお友だちの方に、考えていることをちらっとほのめかしましたが、兄のことで片づけなければならない問題があったので、いままで身体があかなかったんです。わたしの考えでは、ムッシュー・ポアロ、足元で草が生えるままにしておいてはいけないんだ――手をこまねいているべきじゃないんです」

「それはヘイスティングズの口癖ですよ！」

「――なんとかしなければならない。次の犯罪にそなえなければならないんです」

「では、次の犯罪があるとお考えですね」

「あなたはちがうんですか」

「もちろん、考えています」

「それはいい。わたしは組織的にやりたいんです」

「あなたのお考えをおしえてください」

「わたしの提案は、ムッシュー・ポアロ、一種の特別部隊をつくることです――あなたの命令で働く組織――殺害された人々の友人や親戚からなる組織です」

「それはよい考え《ユヌ・ボンヌ・イデー》です」

「同意してくださって、よかった。わたしたちが頭を寄せあつめれば、何かにたどりつけるかもしれないと思うんです。それに、次の予告の手紙がきたら、その現場に居合わせることによって、わたしたちの一人がひょっとして――その可能性が高いとは言いませんが――以前の犯行現場の近くで見かけた人間に気づくかもしれません」

「あなたのお考えがわかりましたし、賛成しますが、忘れてならないのは、クラークさん、ほかの被害者の親戚や友人たちは、あなたと同じような生活をしてはいないということです。彼らは雇われて働いているので、短い休暇ならとれるかもしれないが――」

フランクリン・クラークは口をはさんだ。

「そこなんですよ。わたしだけが、お金の支払いを引き受けられる立場にいるんです。わたし自身はとても裕福だというわけじゃありませんが、亡くなった兄は金持ちだったし、いずれわたしが遺産を相続する。いま言ったように、わたしは特別部隊を編成して、メンバーにはその働きにたいして、これまでの収入と同じ金額と、むろん、必要経費を支払うつもりです」

「誰をその特別部隊に入れようとお考えなんですか」

「すでにとりかかっています。じっさい、ミーガン・バーナードさんには手紙を書きました――じつは、これには彼女の考えも一部入っています。わたしの提案は、わたし自身、バーナードさん、死んだ娘さんと婚約していたドナルド・フレイザーさんです。それからアンドーヴァーで殺された女性の姪――バーナードさんが彼女の住所を知っています。夫のほうは役に立ってくれるとは思えない――いつも飲んだくれているそうだから。それに、バーナード家の二人――父親と母親は――活動するにはいささか年をとりすぎているようです」

「ほかには誰もいないんですか」

「そうですね――ええと――ミス・グレイかな」

その名前を口にしたとき、顔がかすかに赤らんだ。

「ああ！　ミス・グレイですね？」

一つか二つの短い言葉に、かすかな皮肉のニュアンスをこめるのがポアロよりうまい者はこの世にはいないだろう。三十五年という歳月がフランクリン・クラークからすべり落ちた。ふいにはにかんだ小学生のようになってしまった。

「ええ。だって、ミス・グレイは二年以上も兄を手伝っていたんです。あの近辺のことやら、まわりの住人やら、何もかも知っています。それにくらべると、わたしは一年半も離れていたので」

ポアロはしどろもどろのフランクリン・クラークが気の毒になったのか、会話の流れを変えた。

「あなたは東洋にいらしてたんですね。中国ですか？」

「ええ。兄のために美術品を買いつけるという、いわば各地を転々とする仕事をしていました」

「とても興味があるお仕事だったのでしょうね。よろしい、クラークさん、あなたのお考《エ・ビヤン》えはとてもいいと思いますよ。ついきのうもヘイスティングズに言っていたのですが、関係者《ラブローシユマン》たちの親善が必要です。みなが思い出せることをあつめ、気づいたことをくらべて――最後《アンファン》にいろいろ話す――話して――話して――話しつくすんです。何気ない言葉から、思いがけない発見があるかもしれません」

数日後、「特別部隊」はポアロの部屋にあつまった。

彼らがテーブルのまわりにぐるっと座り、議長のようにテーブルの上座についているポアロのほうをかしこまって見つめているとき、わたしはいわばあらためて彼らを眺め、初対面のときの印象を確認したり、修正したりした。

三人の女性たちはそれぞれがきわだって印象的だった。ソーラ・グレイは金髪で、抜きんでた美貌であり、ひたむきなミーガン・バーナードは黒髪で、アメリカ・インディアンのような奇妙に表情のない顔をしていたが情熱が感じとれたし、メアリ・ドラウアーは黒い上着とスカートをきちんと着て、きれいな顔はいかにも聡明そうだった。二人の男たち、大柄でブロンズ色に日焼けしたおしゃべりなフランクリン・クラークと、寡黙で穏やかなドナルド・フレイザーは互いに奇妙なほど対照的だった。

ポアロはむろん、こういう集まりでは誘惑に勝てずに、ちょっとしたスピーチをした。

「紳士淑女のみなさん、われわれがなぜここにつどったのか、すでにおわかりですね。警察は全力を傾けて犯人をつきとめようとしています。わたしも、方法はちがいますが、やはり全力をあげています。しかし、今回の事件に個人的にかかわっている――そしてまた、こう言ってもいいでしょうが、被害者について個人的に知っておられる——みなさんがこうしてあつまれば、外部からの捜査ではとうてい得られないような成果があげられるかもしれません。

三件の殺人事件がありました——被害者はお年寄りの婦人と、若い女性、年配の男性です。この三人を結ぶものはただ一つ——同一人物に殺されたという事実です。言い換えれば、同じ一人の人間が三つの異なる場所にあらわれたということですから、当然ながら多くの人々に姿を見られたはずです。彼が異常者であり、偏執狂であることは言うまでもありません。その外見と行動には狂気の気配がまったく感じとれないことも同じく確かです。この人物——わたしは〈彼〉と言いましたが、女性であるかもしれないことは覚えていてください——狂気の人間の悪魔的なずる賢さをそなえています。これまで、自分の痕跡を完全に消し去ることに成功しています。警察はあいまいな手がかりめいたものはもっていますが、それにもとづいて行動できるような明確なものではありません。

それにもかかわらず、あいまいではない、確固としたものが存在するにちがいないのです。一つの例をとりあげてみると、この殺人者は、真夜中にベクスヒルにやってきて、海岸でなんとも都合がいいことに頭文字がBではじまる若い女性を見つけたわけでは——

「——」

「そのことを詳しく話さなければならないのですか」

そう言ったのはドナルド・フレイザーだった。その言葉は、心のなかの苦悶によって、絞り出されてきたように聞こえた。

「すべて詳しく検討する必要があるんですよ、ムッシュー」ポアロが青年のほうを向いて言った。「あなたがいまここにおられるのは、細部を考えないようにして自分の感情をまもるためではないはずですし、必要ならば、深く《オー・フォン》踏みこんで、感情が傷つくのもやむをえないのではありませんか。いま言ったように、ABCがベティ・バーナードという犠牲者を見つけたのは偶然ではありません。慎重に選びだしたにちがいなく——したがって、あらかじめ計画していたということになります。つまり、彼は前もってそのあたりを偵察していたにちがいないのです。自分で調べておいたのです——アンドーヴァーで殺人を行なうのに最適の時間——ベクスヒルにおける現場の状況《ミ・ザン・セーヌ》——チャーストンにおけるカーマイケル・クラーク卿の習慣などを。わたしとしては、いかなる手がかりも存在しない——犯人の正体を暴くのに役立つ、ほんのわずかなヒントすらない——と考えることはとうていできません。

わたしはこう仮定しています、みなさんのうちの一人——もしくは全員——が、自分が知っているということに気づかないでいる何かを知っているはずだ——と。遅かれ早かれ、お互いに話し合っているうちに、何かが光のあたるところへ浮上してきて、いまはまだ想像もできない意味をもちはじめるでしょう。ジグソーパズルみたいなものです——みなさんはそれぞれ、見たところ意味をなさないピースをもっていますが、それをあつめれば全体としての絵のはっきりした一部が見えてくるかもしれません」

「ただの言葉よ！」ミーガン・バーナードが言った。

「え？」ポアロが問いかけるように彼女を見た。

「あなたがおっしゃってることです。ただの言葉にすぎないわ。なんの意味もありません」

ミーガンはわたしが彼女の個性と結びつけて考えるようになっていたすてばちな激しさで言った。

「言葉とは、マドモワゼル、認識がまとっている衣なのですよ」

「でもまあ、あたしはいいことだと思うわ」メアリ・ドラウアーが言った。「ほんとうです。いろいろしゃべっているうちに、進む道がはっきり見えてくることがよくありますもの。自分でもどうしてそうなったのか気づかないうちに、どうすればいいのか決心していることがあるわ。話してるうちに、いろんなことへとつながっていくものです」

『口数は少ないほどよい』という諺があるが、いまはその逆がいいだろうな」フランクリン・クラークが言った。

「あなたのご意見はどうですか、フレイザーさん」

「ぼくは、あなたがおっしゃることを現実に応用できるかどうか疑問があります、ムッシュー・ポアロ」

「あなたはどう思う、ソーラ」クラークが訊いた。

「わたくし、話し合うという原則はつねに健全だと思います」

「どうでしょうか」ポアロが提案した。「殺人が起こる前に何があったか、ご自分の記憶をあらたにしてみるというのは？　あなたからはじめていただけますか、クラークさん」

「そうですねえ、兄のカーが殺された日の朝、わたしはセーリングに出かけました。鯖を八尾釣りましたよ。湾はとても美しかったな。家に帰ってから昼食をとりました。覚えてますが、アイリッシュ・シチューでした。ハンモックで寝たっけ。それからお茶。数通の手紙を書いて、集配時間に間に合わなかったので、ペイントンまで車を走らせて、投函しました。それから夕食で――ええと、そのう――ちょっと恥ずかしいけれど――

子供のころ大好きだったE・ネスビットの本を読みました。それから電話が鳴って――

――」

「その先はけっこうです。さて、思い返してください、クラークさん。その朝、海岸へと坂を下っていく途中で誰かに会いましたか」

「大勢に会いましたよ」

「その人たちについて、何か覚えていますか」

「いまとなっては何も」

「たしかですか」

「そうですね――そうだな――覚えてます、とても太ったご婦人がいたな――縞模様のシルクのドレスを着ていたので、なぜこんなものをと思ったけれど――二人の子供を連れていましたっけ。それに二人の若者がビーチで石を投げて、連れているフォックス・テリアを遊ばせていた。ああ、そうそう、黄色い髪の女の子が海に入って嬉しそうに金切り声をあげていました――面白いですね、こんなにいろんなことが浮かんでくるなんて――まるで写真を現像しているみたいだ」

「あなたは申し分のない素質をおもちですよ。それで、その日の午後は――庭で――手紙を出しにいったとき――」

「庭師が水を撒いていました……手紙を出しにいったとき？　自転車乗りを轢くところでしたよ――バカな女が自転車に乗って、よろよろしながら友だちに叫びかけていたんです。それだけです、残念ながら」

ポアロはソーラ・グレイのほうを向いた。

「ミス・グレイ、あなたは？」

ソーラ・グレイは澄んだ、しっかりした声で話した。

「午前中はカーマイケル卿と手紙の整理をいたしました――家政婦に会いました。午後は手紙を書き、針仕事をした、と思います。なかなか思い出せませんわ。ごくふつうの一日でした。わたくし、早めに床につきました」

驚いたことに、ポアロはそれ以上何か聞きだそうとしなかった。彼はこう言った。

「ミス・バーナード――最後に妹さんに会ったときのことを思い出していただけますか」

「あの子が亡くなる二週間ほど前でした。わたしは土曜日と日曜日に実家にもどっていました。いい天気でした。わたしたち、ヘイスティングズのスイミング・プールへいきました」

「そのとき、どんな話をしたんですか」

「わたしの気持ちを少し話してやりました」ミーガンが言った。

「ほかには？　妹さんはどんなことをあなたに話したんですか」

ミーガンは眉を寄せて、思い出そうとつとめた。

「懐がさびしくなったと言ってました――買ったばかりの帽子と二着の夏服のこと。それからドンのことも少し……ミリー・ヒグリーのことは好きじゃないとも言ってました――あのカフェにいるウェイトレスのことです――それからあのカフェをやってるメリオンという女主人のことを二人で笑いました……ほかには何も思い出せません……」

「何も言ってませんでしたか、男性のことは――気を悪くしないでください、フレイザーさん――誰か男性に会うつもりだということは？」

「わたしに話すはずがありません」ミーガンはそっけなく言った。

ポアロは角張ったあごの赤毛の青年のほうを向いた。

「フレイザーさん――記憶をさかのぼってください。あなたは言いましたね、あの運命の夜、カフェへいったと。最初は外で待っていて、ベティ・バーナードが出てくるのを見張るつもりだった。待っているあいだに、誰か目についた人間を思い出せませんか」

「カフェの前の海岸通りは大勢の人がぞろぞろ歩いていたんです。誰も思い出せません」

「失礼な言い方ですみませんが、ほんとに思い出そうとしていますか。何かで頭がいっぱいでも、目は機械的に見ているものなんですよ――それと認識しなくても、正確に……」

青年はかたくなにくりかえした。

「思い出せません」

ポアロはため息をつき、メアリ・ドラウアーのほうを向いた。

「おばさんからときどき手紙をもらったと思いますが」

「あら、はい」

「最後の手紙はいつでしたか」

メアリはちょっと考えた。

「事件の二日前です」

「なんと書かれていましたか」

「あの老いぼれ悪魔がやってきたので、叱りつけて追い返してやった――こんな言葉づかいをして申し訳ありません――水曜日にあんたがくるのを待っている――水曜日はあたしの休みの日なんです――一緒に映画を観にいこう、と書いてありました。あたしの誕生日だったんです」

何かのせいで——たぶん、ささやかなお祝いのことを考えたからだろうが、メアリの目に涙が浮かんだ。彼女は嗚咽をこらえた。それから謝った。

「ごめんなさい。バカな真似はしたくないんですけど。泣いたってなんにもなりませんものね。ただ、おばのことを考えて——あたしと——一緒に映画を観ると思って楽しみにしていたんです。それを考えて、つい気持ちが乱れてしまいました」

「お気持ちはよくわかりますよ」フランクリン・クラークが言った。「心を打つのはつねにささやかなことですから——とくに楽しいことやプレゼントなど——嬉しいことやごく自然なことです。以前、車にはねられた女性を見たことがあるんです。その女性は新しい靴を買ったばかりだった。わたしが見たとき、彼女はそこに倒れていて——破れた包みからその場にそぐわない小さなハイヒールの靴がのぞいているのが見えて——わたしはショックを受けました——すごく哀れを誘う光景でした」

ミーガンがふいに温かみのこもる声で熱心に言った。

「そのとおりだわ——それはほんとうよ。同じことがあったんです、ベティが——あの——死んだときに。母がベティにあげるためにストッキングを買っていたんです——あれが起こった日に買ったんですよ。かわいそうなママ、すっかりうちひしがれて。そのストッキングを見ては泣いてました。こう言いつづけてたんです。『ベティのために買ってやったんだよ――ベティのために買ってやったんだよ――それなのに、あの子はこれを見ることとさえないんだ』って」

ミーガン自身の声がふるえた。彼女は身を乗りだして、まっすぐフランクリン・クラークを見つめた。二人のあいだに、ふいに共感が――災厄のなかの仲間意識が生まれた。

「わかります」と彼は言った。「よくわかります。そういったことは思い出すととてもつらいんです」

ドナルド・フレイザーが落ち着きなく身じろぎした。

ソーラ・グレイが会話の流れを変えた。

「何か計画をたてるのではありませんか――今後のために」彼女は訊いた。

「もちろんだ」フランクリン・クラークがいつもの態度にもどった。「そのときがきたら――つまり四通目の手紙がきたらだが――みんなで力を合わせるべきだ。そのときまでは、それぞれがやれることをやってみればいいんじゃないかな。わたしにはわからないが、捜査に役立つようなことが何かあるとムッシュー・ポアロはお考えでしょうか」

「いくつか提案があります」ポアロが言った。

「けっこう。わたしが書きとめよう」フランクリン・クラークは手帳をとりだした。

「どうぞ、ムッシュー・ポアロ。A――」

「ウェイトレスのミリー・ヒグリーが何か役立つことを知っているかもしれません」

「A――ミリー・ヒグリー」フランクリン・クラークは書きとめた。

「それをさぐりだすには二つの方法があるでしょう。あなた、ミス・バーナードが、攻撃的アプローチとわたしが呼ぶ方法をこころみてはいかがでしょう」

「それがわたしにぴったりのやり方だとお思いなんでしょうね」ミーガンが皮肉っぽく言った。

「その娘さんに喧嘩を売るんです――彼女があなたの妹さんを嫌っていたのを知っていたと言う――それから、妹から彼女のことは何もかも聞いている、と言うんです。わたしの勘違いでなければ、それで彼女は猛反発してとうとうとまくしたてるでしょう。妹さんの悪口をならべたてると思いますよ！　そこから役に立つ事実が浮かんでくるかもしれません」

「それで、第二の方法というのは？」

「ねえ、フレイザーさん、その娘さんに関心があるようなそぶりをしていただきたいのですが、どうですか」

「それは必要なことなんですか」

「いいえ、必要というほどではありません。ただ、さぐってみるためにそういう手もあるというだけのことです」

「わたしがやりましょうか」フランクリン・クラークが言った。「わたしは——そのう——かなり豊富な経験がありましてね、ムッシュー・ポアロ。その若いご婦人に気に入ってもらうにはどうするか、まあ、やってみようじゃないですか」

「あなたには、ほかになさることがあるのではありませんか」ソーラ・グレイがかなりとげのある声で言った。

　クラークの顔がややくもった。

「そうだな」彼は言った。「たしかにある」

「それでも《トゥー・ド・メーム》、さしあたり、お屋敷のほうでおできになることはたいしてないと思いますよ」ポアロが言った。「マドモワゼル・グレイなら、はるかにうまく——」

　ソーラ・グレイがポアロの言葉をさえぎった。

「でも、ムッシュー・ポアロ、わたくし、デヴォンを離れましたの」

「ほう？　どういうことか、よくわかりませんが」

「ミス・グレイは親切にもあとに残って、残務整理を手伝ってくださったのですが」フランクリン・クラークが言った。「でも、当然ながら、ロンドンで仕事をなさりたがっているんです」

ポアロは鋭い視線を一方からもう一方へと向けた。

「レディ・クラークのお加減はいかがですか」

わたしはソーラ・グレイの頬がかすかに赤らんだのをうっとり見つめていたので、フランクリン・クラークの答えをあやうく聞きもらすところだった。

「かなり悪いです。ところで、ムッシュー・ポアロ、デヴォンまでいらして、義姉《あね》に会っていただけませんか。わたしがこちらへくる前に、義姉はあなたにぜひともお目にかかりたいと言っていたんです。むろん、ときには具合が悪くなって、まる二日間も人に会えなくなる、といったことがありますが、それを覚悟していただければ——費用はわたしがもちます、当然ですが」

「いいですとも、クラークさん。明後日ということでいかがですか？」

「けっこうです。看護婦に知らせておきますので、それに合わせて薬を加減するはずです」

「さて、あなたですが」ポアロはメアリのほうを向いて言った。「アンドーヴァーでいい仕事ができるかもしれませんよ。子供たちにあたってみてください」

「子供たちですか？」

「そうです。子供たちは、よそ者にはあまり気を許してべらべらしゃべることはしません。でもあなたなら、おばさんが暮らしていた界隈で知られています。あのあたりでは、大勢の子供たちが遊んでいます。おばさんの店に誰が出入りしたか、見ていたかもしれません」

「ミス・グレイとわたしは何をしたらいいですか」クラークが訊いた。「ベクスヒルへいかないということならですが」

「ムッシュー・ポアロ」ソーラ・グレイが言った。「第三の手紙の消印はどこでしたか」

「パトニーです、マドモワゼル」

彼女は思いめぐらすように言った。「パトニー、南西十五区ですね、そうですか？」

「摩訶不思議と言うしかありませんが、新聞には正確に載っていました」

「それはＡＢＣがロンドンの住人であることを指し示しているようですね」

「いちおうはね、はい」

「やつをおびきだせるはずだ」クラークが言った。「ムッシュー・ポアロ、わたしが新聞に広告を載せるというのはどうですか――こんなふうに、『ＡＢＣへ、緊急、Ｈ・ポアロが迫っているぞ。口止め料百ポンド。ＸＹＺ』まあ、これほど露骨なものではないですがね――でも、狙いはおわかりでしょう。やつをおびきだせるかもしれない」

「その可能性はありますね——たしかに」

「やつを刺激して、わたしを狙うように仕向けられるかもしれない」

「そんなこと、とても危険ですし、愚かなことだと思います」ソーラ・グレイが鋭く言った。

「どうお考えですか、ムッシュー・ポアロ?」

「ためしてみても害はないでしょう。まあABCはずる賢いから、広告に応じないと思いますがね」ポアロはちょっと笑みを浮かべた。「ねえ、クラークさん、あなたは——こう言ってもご不興を買わないといいのですが——心の奥ではいまだに少年のままなんですね」

フランクリン・クラークはやや照れくさそうだった。

「まあ」手帳を見ながら、彼は言った。「とにかく、一歩踏みだした。

A——ミス・バーナードとミリー・ヒグリー。

B——フレイザー氏とミリー・ヒグリー。

C——アンドーヴァーの子供たち。

D——新聞広告。

どれもたいしたことはないような気がするが、でもこれで、待っているあいだすることがないとができたわけです」

彼は立ちあがり、まもなく会議は終わった。

19 スウェーデン経由

ポアロは自分の席にもどり、鼻歌をうたいながら腰をおろした。

「あいにくですね、彼女があんなに頭がいいのは」ポアロはぶつぶつ言った。

「誰ですか」

「ミーガン・バーナードですよ。マドモワゼル・ミーガンです。『言葉にすぎないわ』と彼女は吐き捨てるように言いました。わたしが言っていることは中身がないのだと、彼女はたちまち見抜いたんです。ほかのみなは納得したんですがね」

「わたしも、とてももっともらしいと思いましたよ」

「もっともらしいです、たしかに。それを彼女は見抜いたんです」

「じゃあ、あなたは心にもないことを言ったわけですか」

「わたしが言ったことは、短い一つの文章に圧縮できます。それをわたしは気ままに《アド・リブ》くりかえしたのですが、その事実にマドモワゼル・ミーガン以外は誰も気づかなかったのです」

「でもまた、どうしてそんなことを？」

「それはね《エ・ビヤン》——物事を前に進めるためですよ。みなに、やらなければならない仕事があるという印象を吹きこむためです！　なんと言いましょうか——会話をはじめるためです！」

「この方法ではどこにもつながらないと考えてるんですか？」

「まあ、可能性はつねにあります」

　ポアロはくすくす笑った。

「悲劇の真っ最中に喜劇がはじまるんです。そういうものでしょう？　ちがいますか？」

「どういう意味ですか」

「人間のドラマですよ、ヘイスティングズ！　ちょっと思い返してみてください。ここに、共通の悲劇によってあつまった三組の人間がいます。たちまち第二のドラマがはじまる——まったくべつの《トゥー・タ・フェ・ア・パール》。わたしがイギリスではじめて手がけた事件を覚えていますか。そう、もう何年も前のことになりますね。わたしは愛しあっている二人を一緒にした——一人を殺人の咎で逮捕させるという単純な方法によって！　それ以外の方法では成就しなかったでしょう！　死のまっただなかで、わたしたちは生きているんですよ、ヘイスティングズ……殺人はね、わたしがたびたび気づいたところによれば、縁結びには最適なんです」

「なんということを言うんですか、ポアロ」わたしは憤慨して大声をあげた。「あの人たちが考えているのは、ただ一つ――」

「ほう！　親愛なるわが友よ。で、あなた自身はどうなんです？」

「わたしですか？」

「もちろん《メ・ウィ》、あの人たちが出ていってから、あなたはあるメロディをハミングしながらもどってきませんでしたか」

「だからと言って、同情心のない人間ということにはなりません」

「もちろんです、しかし、その曲があなたの考えていることをおしえてくれたのです」

「ほんとうに？」

「ええ。何かの曲をハミングするというのはきわめて危険なんですよ。潜在意識をさらけだしてしまいますからね。あなたがハミングしていた曲は、戦時中に流行ったものだと思います。こうです《コム・サ》」ポアロはおぞましい裏声で歌った。

　ときどきわたしはブルネットを愛し、
　ときどきわたしはブロンドを愛する
（エデンからスウェーデン経由でくる娘を）。

「これ以上に心のなかを暴露するものがありえますか？　でもブロンドがブルネットに《ジュ・クロワ・ク・ラ・ブロンド・》勝っていると思いますが《ランボルト・シュル・ラ・ブルネット》ね！」

「なんということを、ポアロ」わたしはやや顔を赤らめて声をあげた。

「ごく自然なことです《セ・トゥー・ナチュレル》。フランクリン・クラークが突然マドモワゼル・ミーガンに同意して、同情的になったのを見ていましたか？　身を乗りだして、彼女を見つめていたのを？　それに、マドモワゼル・ソーラ・グレイがどれほど不快そうだったかに気づきましたか。それにドナルド・フレイザーですが、彼は――」

「ポアロ」わたしは言った。「あなたの頭は手の施しようがないほどロマンティックですね」

「わたしの頭はそういうものとは無縁です。ロマンティックなのはあなたのほうですよ、ヘイスティングズ」

　わたしはその点について勢いこんで言い返そうとしたが、そのとき、ドアがあいた。

びっくりしたことに、入ってきたのはソーラ・グレイだった。

「もどってまいりまして、申し訳ございません」彼女は落ち着いて言った。「でも、申しあげておきたいことがございますの、ムッシュー・ポアロ」

「いいですとも、マドモワゼル。お座りください、どうぞ」

ソーラは腰をおろし、ちょっとためらって、言葉を選んでいるようすだった。

「こういうことですの、ムッシュー・ポアロ。クラークさまはとてもお心が広くて、さきほどわたくしが自分からコームサイドを出たような言い方をなさいました。とてもご親切ですし、誠実な方です。でも、ほんとうは、そういうことではありません。わたくし、あそこに残るつもりでおりました——蒐集品のことで、仕事がたくさんありましたから。じつは、わたくしが出ていくことは、奥さまのご希望なんです！　しかたがないことかもしれません。お身体がとてもお悪いし、薬のせいで、頭もいくらかぼんやりしておいでですから。そのせいで、とても疑い深くなり、あらぬことを想像してしまわれます。奥さまはいわれなくわたくしをお嫌いになり、あの家から出ていくようにとおっしゃいました」

わたしは彼女の勇気に感嘆せずにはいられなかった。ほかの者なら事実を飾りたてようとしたかもしれないが、彼女はあっぱれな率直さでまっすぐ要点を述べた。わたしの心には彼女にたいする賞賛と同情があふれた。

「ここにやってきて、そのことをお話しになるとは、ほんとうに立派だと思いますよ」わたしは言った。

「いつだって、ほんとうのことを話したほうがいいですもの」彼女はかすかな微笑を浮かべて言った。「クラークさまの紳士的な態度の陰に隠れたくはありません。あの方はとても紳士的でいらっしゃいますわ」

彼女の言葉には温かみがこもっていた。あきらかにフランクリン・クラークをひどく尊敬しているようだ。

「あなたはとても正直ですね、マドモワゼル」ポアロが言った。

「わたくしにとっては打撃でした」ソーラは嘆かわしげに言った。「奥さまにあんなに嫌われているとは考えもしませんでした。じつを言えば、奥さまにはかわいがっていただいていると思いこんでおりましたから」彼女は顔をしかめた。「生きていると、いろいろ学ぶものですわね」

彼女は立ちあがった。

「申しあげたかったのはこれだけです。失礼いたします」

わたしは階下へ彼女を送っていった。

「とても正々堂々としている人だと思いますね」わたしは部屋にもどると言った。「勇気があるな、あの女性には」

「それに計算もしています」

「どういうことですか――計算というのは？」

「この先どうなるのかを見通す力があるということです」

わたしは疑わしげに彼を見た。

「ほんとうに美しい娘さんだ」わたしは言った。

「それにほんとうに美しい服を着ています。あのクレープ・マロケーンの服地と銀ギツネの襟――最新流行《デルニエ・クリ》のスタイルです」

「つまらないことによく気がつく人ですね、あなたは、ポアロ。ほかの人が着ているものなんか、わたしはぜったいに気がつきませんよ」

「あなたはヌーディスト・クラブにでも入ればいいんです」

憤然として言い返そうとしたとき、ポアロがだしぬけに話題を変えた。

「ねえ、ヘイスティングズ、きょうの午後の会話で、早くも大事なことが言われたという印象をぬぐいきれないんです。妙ですが――それがなんなのかはっきり言えない……わたしの心に浮かんだ印象というだけです……それがすでに聞くか見るか気づいた何かを思い起こさせる……」

「チャーストンでの何かですか」

「いや――チャーストンではない……それより前です……いや、かまいません、じきに思い出すでしょうから……」

ポアロはわたしを見て（たぶんわたしはあまり身を入れて聞いていなかったのだろう）笑い声をあげ、またもやハミングしはじめた。

「彼女はエンジェルです、そうじゃありませんか。エデンからスウェーデン経由でやってきた……」

「ポアロ」わたしは言った。「もうたくさんです！」

20　レディ・クラーク

二度目に訪れたとき、コームサイドは深い、メランコリックな空気につつまれていた。そういう印象を受けたのには、天候も影響していたのだろう——湿っぽい九月の一日であり、空気には秋の気配が感じられたが、それとはべつに、家が半ば閉ざされていたことも原因だったにちがいない。階下の部屋はどれも閉められて鎧戸がおろされ、わたしたちが案内された小さな部屋は湿気とよどんだ空気の匂いがした。

いかにも有能そうな看護婦が、糊のきいた袖口を引きおろしながらやってきた。

「ムッシュー・ポアロですか」彼女はきびきびした口調で訊いた。「わたしは看護婦のキャプスティックです。クラークさまから、あなたがおいでになるという手紙を受けとっております」

ポアロがレディ・クラークの容態について尋ねた。

「それほどお悪くありません、いろいろ考えあわせてみますと」

「いろいろ考えあわせると」というのは、死を宣告されていることを考えればという意味なのだろう、とわたしは推測した。

「たいして回復する望みはありません、もちろんですが、でも、新しい治療法のおかげで、少し楽におなりです。ローガン医師《せんせい》は奥さまの病状にとても満足しておいでです」

「でも、たしかなんでしょう、決して回復しないというのは？」

「ああ、そう断言することはできません」キャプスティック看護婦は、ポアロの飾り気のない問いにややショックを受けたようだった。

「ご主人が亡くなったことは、夫人にとってたいへんなショックだったんでしょうね」

「そのう、ムッシュー・ポアロ、わたしが申しあげることをわかっていただきたいんですけれど、奥さまは、健康で頭もしっかりしている人にくらべて、ショックはそれほど大きくありませんでした。いまの奥さまには、すべてがぼんやりしているんです」

「立ち入ったことを伺いますが、夫人はご主人に深い愛情を抱いておられたのですか、そしてご主人も夫人にたいして？」

「ええ、もちろんです。お二人はとてもおしあわせなご夫婦でした。旦那さまは奥さまのことでとてもお心を悩ませて、動転しておられました、お気の毒に。医者だった旦那さまにとってはよけいつらいことです。医者はいつわりの希望で自分を元気づけることができませんから。最初は、そのことが旦那さまのお心をむしばんでいたんです」

「最初はとおっしゃいましたね？　あとになるとそれほどでもなかったんですか」

「人はなんにでも慣れるものです、そうじゃありませんか。それに旦那さまには蒐集品がありました。趣味は殿方にとって大きな慰めになります。旦那さまはときどき買いつけにいらっしゃり、そのあとミス・グレイと二人で、カタログをつくりなおしたり、新しい方針にあわせて陳列室の配置換えをしたりで忙しくしてらっしゃいました」

「ああ、なるほど——ミス・グレイとね。彼女は辞めたんでしょう、ちがいますか」

「ええ——とても残念に思いますけど——でも奥さまがたはお身体の具合がよくないときなど、あらぬことをお考えになるものです。それはちがいますと言い返してもはじまりません。あきらめたほうが早いんです。ミス・グレイはその点、とても分別がありました」

「レディ・クラークはずっと彼女を嫌っていたんですか」

「いいえ——つまり、嫌っていたわけではないということです。ほんとうのことを申しますと、奥さまは最初はかなり気に入ってらしたと思います。でもまあ、こんなゴシップでお引きとめしてはいけませんね。ご病人が、わたしたちがどうしたのかと不思議に思っておいでかもしれません」

看護婦はわたしたちを二階の部屋へ案内した。かつて寝室だったその部屋は、いまは明るくて感じのいい居間に変えられていた。

レディ・クラークは窓際の大きな肘掛け椅子に座っていた。痛々しいほどやせ細り、顔は土気色で、ひどい苦痛に耐えているらしくやつれていた。ややぼんやりした、夢見るような表情を浮かべ、わたしが気づいたところでは、瞳孔がピンの先ぐらいしかなかった。

「お会いになりたがってらしたムッシュー・ポアロですよ」キャプスティック看護婦が高い元気な声で言った。

「ああ、そう、ムッシュー・ポアロね」レディ・クラークはぼんやりと言った。

彼女は手を差しのべた。

「友人のヘイスティングズ大尉です、レディ・クラーク」

「はじめまして。よくいらしてくださいましたね」

わたしたちは彼女の漠然とした身振りに導かれて腰をおろした。沈黙がつづいた。レディ・クラークは夢の世界に入りこんでしまったようだった。

まもなく、かすかに努力して、彼女は気力をとりもどした。

「カーのことでしたね。カーが死んだことで。ええ、そうだわ」

彼女はため息をついたが、まだぼんやりと頭をふっていた。

「こんなことになるとは、思ってもいませんでした……わたしが先に逝くものとばかり……」ちょっとのあいだ、彼女はもの思いにふけっていた。「カーはとても頑丈で――あの歳にしてはりっぱなものでした。病気になったことはありません。もう六十近いですが――でも五十くらいにしか見えなくて……ええ、とても頑丈で……」

レディ・クラークはまた夢の世界に落ちこんでしまった。ポアロはある種の麻薬がもたらす影響や、その服用者には時間の観念がなくなることを知っていたので何も言わなかった。

レディ・クラークがだしぬけに口をひらいた。

「ええ――よくいらしてくださいました。フランクリンに申しましたのよ。かならずあなたに話してくれると言いました。フランクリンがバカな真似をしないとよろしいんですけれど……なんでもすぐ真に受けてしまうんです、世間をけっこう見ておりますのに。男の人ってそんなものですわね……いつまでも少年のまま……フランクリンはとくにそうですわ」

「とても衝動的な性格でいらっしゃいますね」ポアロが言った。

「ええ――ええ……それに女性にはとてもやさしくて。そういうことについて、男の人はとても愚かです。カーでさえ――」彼女の声は細くなって消えた。

レディ・クラークは熱に浮かされたようにいらだたしげに頭をふった。

「何もかもひどくぼんやりして……自分の身体が恨めしくなりますのよ、ムッシュー・ポアロ、とくに、病気が悪いときには。ほかには何も考えられなくなります――苦痛が消えるか消えないか――ほかのことはどうでもよくなります」

「わかりますよ、レディ・クラーク。それがこの人生における悲劇の一つなのです」

「そのせいで、おバカさんになってしまいますの。あなたに何を言いたかったのか、思い出すことさえできないのですから」

「ご主人の死について何かおっしゃりたかったのではありませんか」

「カーの死？　ええ、たぶん……頭のおかしい、気の毒な人――殺人者のことですけれど。このごろは、騒音やスピードばかり――人々はみなそれに耐えられないんです。わたしはいつも、頭のおかしい人々を気の毒だと思ってました――頭にすごく奇妙な感じがあるのでしょうね。それから、閉じこめられて――とてもひどいにちがいありません。でも、ほかにどうすればいいのでしょう。彼らが人を殺すのなら……」彼女は頭をふった――痛みがあるらしく、そっと。「まだ捕まえていないのですね」彼女は尋ねた。

「ええ、まだです」

「あの日、このあたりをうろついていたにちがいありません」

「よそ者が大勢いたんですよ、レディ・クラーク。夏休みですからね」

「ええ——忘れてました……でもその人たちは下のビーチのほうにいます、この家の近くまで登ってくることはありません」

「その日はこの家まできたよそ者はおりません」

「誰がそんなことを言いました？」レディ・クラークは急に激しく問いかけた。

ポアロはやや呆然となった。

「召使いたちです」彼は言った。「ミス・グレイも」

レディ・クラークがきっぱりと言った。

「あの娘は嘘つきです！」

わたしは椅子から腰を浮かせた。ポアロがちらっとわたしをにらんだ。

レディ・クラークは熱に浮かされたように、さらにつづけた。

「わたしはあの娘が嫌いでした。好きだったことはありません。カーはすばらしい娘だと思っておりました。あの娘はみなしごで、天涯孤独なんだと言いつづけていました。みなしごのどこがかわいそうなんでしょう。みなしごであるほうがよかったりします、うわべはともかく。なんの役にも立たない父親や飲んだくれの母親がいたりすれば——

そのほうが不満の種になるでしょう。あの娘はとても勇気があるし、とてもよく働くとカーは言っておりました。たしかによく働いたのでしょうよ！　どこに勇気があるのか、わたしにはわかりませんわ！」

「まあまあ、そんなに興奮なさっちゃいけませんよ」キャプスティック看護婦があいだに入った。「お疲れになるようではいけません」

「わたしはあの娘にすぐさま荷造りさせました！　フランクリンときたら、あの娘がわたしの慰めになるかもしれないなどと、無礼なことを申しますのよ。わたしの慰めになるですって！　あの娘が一刻も早く見えなくなれば、そのほうがいいわ――わたしはそう申しました！　フランクリンは間抜けです！　あの娘とかかわってほしくありません。フランクリンときたら、まるで子供なんだから！　分別というものがないんです！『あの娘に三カ月分の給料を払いますよ、あなたがそうしたければ』とわたしは言いました。『でも、出ていってもらいます。もう一日だってこの家にいてもらいたくないわ』と。病気になると、そういういいこともあります――こちらが言うことに殿方は逆らえないんです。フランクリンはわたしが言ったとおりにしたので、あの娘は出ていきました。殉教者みたいな顔をして出ていったんでしょうね――とても忍耐強く、勇敢に！」

「さあ、そんなに興奮なさっちゃいけませんよ。お身体にさわります」

レディ・クラークは手をふってキャプスティック看護婦を黙らせた。

「あんたときたら、ほかのみなと同じように、あの娘のことではおバカさんなんだから」

「まあ！　奥さま、そんなことおっしゃってはいけません。ミス・グレイはとてもいい娘さんですよ――とてもロマンティックな顔立ちで、まるで小説から抜けだしてきたみたい」

「あんたたちときたら、まったく我慢できないよ」レディ・クラークは弱々しく言った。

「でもまあ、あの娘は出ていきましたよ。奥さま。すぐに出ていったんです」

レディ・クラークはいらだちのあまり弱々しく頭をふったが何も答えなかった。

ポアロが言った。

「なぜミス・グレイは嘘つきだとおっしゃるんですか」

「嘘つきだからですよ。あの娘はあなたに、よそ者はひとりも家にこなかったと言ったのではありませんか」

「はい」

「よろしい、それでは言いましょう。わたしは見たんです――この目で――この窓越しにあの娘が正面玄関の段の上でまったく見ず知らずの男と話しているのを」

「それはいつのことでしょうか」

「カーが亡くなった日の朝です――十一時ごろ」

「その男はどんなようすをしていましたか」

「ごくふつうの男です。特別なところなど何もありません」

「紳士ですか――それとも商人ですか」

「商人ではありません。みすぼらしい男でした。よく思い出せません」

苦痛の痙攣がだしぬけに彼女の顔を走った。

「お願いです――もういってください――少し疲れました――看護婦さん」

わたしたちはその言葉をきっかけに、そこを辞した。

「あれはとてつもない話でしたね」わたしはロンドンへ帰る旅の途中、ポアロに言った。

「ミス・グレイとよそ者のことですが」

「ねえ、わかりますか、ヘイスティングズ。もう言ったように、発見できるものがかならずあるんですよ」

「なぜあの娘は誰も見かけなかったなどと嘘をついたのでしょうか」

「その理由なら七通りもあげることができますよ――その一つはきわめて単純です」

「わたしをバカにしようっていうんですか」わたしは尋ねた。

「そんなことはありません。むしろ、あなたの才能を使いなさいとすすめているんです。でも、勝手に想像をめぐらして、ああだこうだと言っていてもはじまりません。その問いにたいする答えを得るためのもっとも簡単な方法は、彼女にじかに尋ねることですよ」

「で、彼女がまたべつの嘘をついたら？」

「そういうことならじつに興味深い——しかも非常に暗示的です」

「ああいう娘が頭のいかれた男と手を組んでいるなんて、考えるだけでもおぞましい」

「そのとおりです——だからわたしはそうは思いません」

わたしはまたちょっと考えた。

「きれいな娘というものは、それだけでけっこうつらい立場に立たされるんですね」わたしはとうとうため息をつきながら言った。

「まさか《デュ・トゥー》。その考えは捨ててください」

「ほんとうじゃないですか」わたしはしつこく言った。「誰もが敵意をもつんです、ただ美人というだけで」

「バカなこと《ベティーズ》を言うものじゃありません。コームサイドで誰が彼女に敵意をもってました？　カーマイケル卿ですか。フランクリン・クラーク？　キャプスティック看護婦？」

「レディ・クラークはたしかに反感をもっていましたよ」

「友よ《モナミ》、あなたはうら若い美人にたいする慈愛で胸がはちきれそうなんです。わたしはと言えば、病の床にある老いたご婦人たちに同情しますよ。あのレディ・クラークだけが見抜いていることを、彼女の夫も、フランクリン・クラークも、キャプスティック看護婦も目が曇っていて何も見えないのかもしれません、それにヘイスティングズ大尉も」

「あの娘にたいして含むところでもあるんですか、ポアロ」

驚いたことに、ポアロの目が急にきらきら光った。

「たぶん、わたしはあなたをロマンティックな立場に立たせたいのかもしれませんね、ヘイスティングズ。あなたはいつだって、真の騎士ですよ――苦境にある乙女を――もちろん《ビヤン・アンタンデュ》、美しい乙女を――救いに駆けつけようとしているのです」

「ずいぶんバカバカしいことを言いますね、ポアロ」わたしは笑わずにいられなかった。

「ええ、まあ、年じゅう悲劇的な気分ではいられませんからね。わたしはこの悲劇から生まれてくる人間的な関係にますます興味をもつようになりました。わたしたちの前には三つの家族のドラマがあります。最初はアンドーヴァー――アッシャー夫人の不幸な生涯と彼女の苦闘、ドイツ人の夫を養ったこと、彼女の姪の献身。それだけでも小説になりますよ。その次はベクスヒルです――しあわせで、お気楽な父親と母親、どこからどこまでまったくちがう二人の娘――きれいでふわふわしたおバカさんと、澄みきった知性と真実を求める容赦のない情熱をもった、真剣で意志の強いミーガン。そしてほかの人物――情熱的なやきもち焼きで、死んだ娘を崇拝している自制心のある若いスコットランド人。最後がチャーストンの家族です――死にかけている妻、自分の蒐集品に夢中になっている夫。夫は心から自分を手伝ってくれる美しい娘にますます同情しやさしさを募らせている。そして弟は、活動的で、魅力があり、興味深く、長いあいだ旅をしていたためにロマンティックな輝きをもっている。

ねえ、わかりますか、ヘイスティングズ。物事のふつうの流れのなかでは、この三つのべつべつのドラマは、お互いに決して関係がなかったんですよ。それらは、お互いに影響を受けることなく、それぞれの流れにしたがったことでしょう。人生における置換と結合、ヘイスティングズ、わたしはそういうことに魅了されずにはいられません」

「パディントンに着きました」というのがわたしが返せるただ一つの答えだった。

そろそろ誰かが風船をつついてしぼませる潮時だ、とわたしは思ったのだ。

ホワイトヘイヴン・マンションにもどると、ポアロの帰宅を一人の紳士が待っていると言われた。

フランクリンか、たぶんジャップだろうと思ったのだが、驚いたことにそれはドナルド・フレイザーにほかならなかった。

いかにも気恥ずかしそうだし、もごもごと口ごもるところも、以前より目についた。

ポアロは訪問の目的をすぐに聞きだそうとしないで、サンドイッチとワインはどうかとすすめた。

それが運んでこられるまで、ポアロは会話を独占し、わたしたちがどこへいってきたのかを説明し、病気の女性についてやさしさと同情のこもる言葉で話した。

サンドイッチを食べ終わりワインを飲むと、ポアロはやっと個人的な話題に水を向けた。

「ベクスヒルからいらしたんですね、フレイザーさん」

「はい」

「ミリー・ヒグリーから何か聞きだせましたか」

「ミリー・ヒグリー？　ミリー・ヒグリー？」フレイザーはいぶかしむようにその名前をくりかえした。「ああ、あの娘ですか！　いいえ、まだ何もしていませんので。それは――」

彼は言葉を切り、両手を神経質にねじりあわせた。

「なぜここへきたのか、自分でもわかりません」彼は爆発するように言った。

「わたしにはわかります」ポアロが言った。

「そんなはずはない。どうしてあなたに？」

「あなたがここへきたのは、誰かに話さなければならないことがあるからです。あなたの判断は正しい。わたしはうってつけの人間ですよ。お話しなさい！」

ポアロの確信ありげな態度が効果をあげた。フレイザーは感謝のこもる従順さとでも言える奇妙なようすでポアロを見た。

「そうお考えですか」

「もちろん《パルブルー》、わたしは確信しています」

「ムッシュー・ポアロ、あなたは夢について何かご存知ですか」

彼がそんなことを言いだすとは、まったく想像もしていなかった。

しかしポアロは驚きの気配すら見せなかった。

「はい」彼は答えた。「あなたは夢を見ているんですね――？」

「ええ。あなたはたぶん、ごく自然なことだとおっしゃるでしょうね――夢を見るのは――あのことについて。でも、尋常な夢じゃないんです」

「ほう？」

「三晩つづけてその夢を見たんです……気がおかしくなりそうだ……」

「話してください――」

青年の顔は鉛色だった。目が顔から飛びだしそうだった。ほんとうのことを言えば、彼は気がふれているように見えた。

「いつも同じ夢です。ぼくは浜辺にいる。ベティをさがしている。彼女はいません――でも姿が見えないだけなんです、言っておきますが。ぼくは彼女を見つけなければならない。彼女にベルトをあげなければならないんです。ぼくはベルトを手にもっている。そして、それから――」

「それから？」

「夢が変わります……ぼくはもうさがしていません。彼女はそこに、目の前にいる――浜辺に座りこんで。ぼくが近づいていくのに気がつかない――それは――ああ、ぼくはもう――」

「つづけてください」

ポアロの声は権威があった――断固としていた。

「ぼくは彼女の後ろに近づく……彼女はぼくが近づくのに気づきません……ぼくは彼女

の首にベルトをまわし、絞めるんです――なんと――絞めるんです……」

青年の声にこもる苦悶は恐ろしいほどであり……わたしは椅子の肘掛けをぐっとつかんだ……その情景はあまりにも真に迫っていた。

「彼女は窒息した……死んでいます……ぼくが首を絞めたんです――それから彼女の首ががくっと後ろに垂れ、ぼくは彼女の顔を見る……するとそれはミーガンなんです――ベティではなく！」

彼は真っ青になり、ぶるぶるふるえていた。ポアロはまたグラスにワインを注ぎ、彼に手わたした。

「この夢の意味はなんなんですか、ムッシュー・ポアロ。なぜ、そんな夢を見るんでしょうか。しかも毎晩……」

「ぐっと飲みほしなさい」ポアロが命じた。

青年は言われたとおりにしてから、やや落ち着きをとりもどした声で尋ねた。

「どういう意味があるんでしょう。ぼくは――ぼくは彼女を殺してないんですよ、そうでしょう？」

ポアロがなんと答えたのか、わたしにはわからない。そのとき郵便配達人のノックが聞こえ、反射的に部屋を出たからだ。

郵便受けからとりだしたものが、ドナルド・フレイザーの尋常ならざる打ち明け話にたいするわたしの関心を吹き飛ばしてしまった。

わたしは居間に駆けもどった。

「ポアロ」わたしは叫んだ。「きたよ。四番目の手紙だ」

ポアロは飛びあがり、手紙をひっつかむや、ペーパーナイフをとって封を切った。そしてテーブルの上にひろげた。

わたしたち三人は頭を寄せあつめてそれを読んだ。


まだうまくいかないのかい？　へっ！　へっ！　あんたも警察も何をしてるんだね。そうか、そうか。これは楽しいだろ。次はどこへ蜂蜜をさがしにいこうかね。

気の毒なポアロ。ほんとにかわいそうに。

最初に成功しなかったら、またやってみるんだな。何度も、何度も。

まだこの道は先が長いぞ。

〝はるか先のティペラリー〟かって？　いや——それはまだずっと先だ。Tの頭文字になってからだ。

次のささやかな出来事は九月十一日にドンカスターで起こるよ。

じゃあな

ABC

21　ある殺人者の人相

思うにその瞬間、ポアロが人間的要素と呼ぶものが、この事件の全体像のなかからまた消えはじめたのだった。それまでは、混じりけのない純然たる恐怖に心が耐えられず、わたしたちはごく正常な人間的関心という休憩時間をとっていたようだった。わたしたち全員が、D殺人のために予定された舞台があきらかにされる第四の手紙が届くまで、手をつかねているしかないという感じがしていた。手紙を待つという雰囲気が、緊張をほぐしてくれた。

しかしいま、白い厚手の便箋に活字体で書かれた言葉がわたしたちを嘲笑い、狩りが再開されたのだった。

クローム警部が警視庁からやってきて、彼がまだいるうちにフランクリン・クラークとミーガン・バーナードが訪れた。

ミーガンは自分もきょうはベクスヒルの両親の家からやってきたのだと説明した。

「クラークさんにお尋ねしたいことがありまして」

ミーガンは自分がきたことを弁解し、説明をしなければならないと思っているようすだった。わたしはそれに気づいたが、あまり重要なことだとは思わなかった。

第四の手紙のせいで頭がいっぱいになり、それ以外には何ひとつ興味をもてなかった。

クロームは、このドラマの参加者があつまったのを見てあまり喜んでいないようだった。彼は堅苦しく、あたりさわりのないことしか言わなかった。

「これはお借りしていきます、ムッシュー・ポアロ。写しをとりたいということでしたら……」

「いえ、いえ、その必要はありません」

「これからのご計画はどうですか、警部さん」クラークが訊いた。

「かなり広範囲にわたります、クラークさん」

「今度こそやつを捕まえなければならない」クラークが言った。「お話ししておいたほうがいいでしょうが、われわれはこの件に対処するために協力することにしたんです。関係者の部隊というわけです」

クローム警部は彼としては最高に礼儀正しく言った。

「ほう、そうですか」

「しろうとをあまり買っておられないようですね、警部さん」

「警察と同じような情報網その他をおもちではないでしょうからね、クラークさん」

「われわれには個人的な恨みがありますから——それが原動力になります」

「ほう、そうですか」

「あなたご自身の任務は楽ではないと思いますよ、警部さん。わたしが思うに、あのABCにあなたはまたしても出し抜かれたのではないですか」

クロームはわたしが気づいたところでは、ほかの方法では口をひらかせることができなくても、刺激するとしゃべりだすようだ。

「今回、一般の人々はわれわれの手配にあまりけちをつけられないと思いますよ」とクローム警部は言った。「あの愚か者はわれわれに充分な警告をしてくれた。十一日は来週の水曜日です。それまで、新聞で大々的にとりあげる時間がたっぷりある。ドンカスターの人々にはしっかり警告ができる。名前がDではじまる人は男でも女でも用心することでしょう——たいへんいいことです。それに、あの街にかなり大がかりに警官を投入できる。そのことはイギリス中の警察本部長の同意を得て、すでに手配がすんでいます。ドンカスターの街をあげて、警察も民間人も一人の男を捕まえようとして血眼になるでしょうし、多少のツキがあれば、やつを逮捕できます！」

クラークは穏やかに言った。

「どうやらあなたがスポーツ好きでないことは一目瞭然ですね、警部さん」

クロームはまじまじとクラークを見た。

「いったい何が言いたいんですか、クラークさん」

「まいったな、気づいてないんですか、来週の水曜日にはドンカスターでセント・レジャー競馬があるんですよ」

クローム警部はあんぐり口をあけた。このときはじめて、警部はおなじみの「ほう、そうですか」を口にすることができなかった。代わりにこう言った。

「そのとおりだ。そう、それでことは面倒になる……」

「ＡＢＣは愚か者ではありません、頭はいかれているかもしれないが」

わたしたちはちょっとのあいだ黙りこみ、その状況について考えこんだ。競馬場の群衆――熱狂的なスポーツ好きのイギリスの一般大衆――混乱に次ぐ混乱。

ポアロがつぶやいた。

「なかなか巧妙だ《セ・アンジェニュー》。まったくよく考えられている《トゥー・ド・メーム・セ・ビヤン・イマジネ・サ》」

「わたしの考えでは」クラークが言った。「殺人は競馬場で起こる――たぶん、セント・レジャー・レースの最中に」

彼のスポーツ好きな本能が、その考えに一瞬の喜びを感じたようだった……。

クローム警部は手紙を手にもって立ちあがった。

「セント・レジャー競馬は厄介ですな」彼は認めた。「不幸なことですが」

警部は出ていった。廊下で低い話し声が聞こえ、まもなくソーラ・グレイが入ってきた。

ソーラは不安げに言った。

「警部さんが話してくださったんですが、また手紙がきたそうですね。今度の場所はどこですか」

外は雨が降っていた。ソーラ・グレイは黒いコートとスカート、毛皮を身につけていた。金髪の側頭部に、黒い小さな帽子がちょこんと載っていた。

彼女が話しかけたのはフランクリン・クラークだった。彼女はまっすぐクラークに近づき、片手を彼の腕にかけて、答えを待った。

「ドンカスターだ――セント・レジャー競馬の最中に」

わたしたちは腰を落ち着けて話し合いをはじめた。言うまでもないが、全員がそこにいくつもりだったが、競馬場ということで、あらかじめたてていた仮の計画が複雑になったことは疑問の余地がなかった。

わたしは自信を失った。たった六人で、たとえこの問題にたいする個人的な思い入れがどれほど強いものであれ、いったい何ができるだろう。現場には数えきれないほどの警察官が投入され、目を光らせ、警戒を怠らずに、しかるべき場所を見張っているだろう。さらに六対の目が加わったところで、いったい何がわかるのだろうか。

内心のこの考えに答えるかのように、ポアロが声をあげた。ポアロは学校の教師か僧侶のように話した。

「みなさん《メザンファン》」とポアロは言った。「わたしたちは力を分散させてはいけません。わたしたちの思考のなかにある方法と順序にしたがって、この問題にあたらなければなりません。外部ではなく、内部に真実を求めなければならないのです。自分自身に――わたしたちのそれぞれが――こう問いかけなければなりません――自分は殺人者について何を知っているのだろうか、と。そうすることによって、わたしたちが探し求めている男の人相書をつくりあげなければならないのです」

「わたくしたち、その男のことは何も知らないんですよ」ソーラ・グレイがあきらめたようにため息をついた。

「いえ、いえ、マドモワゼル。そうではありませんぞ。それぞれが、何かしら知っているのです――自分たちが何を知っているのかがわかりさえすれば。かならず何かを知っているはずです、それをつかめばいいだけなのです」

クラークが頭をふった。

「われわれは何も知らないんだ――そいつが年寄りなのか若いのか、金髪か黒髪かということさえ！　われわれの誰一人として、そいつを見ていないし、言葉を交わしていない！　もう知っていることは全部、何度もくりかえし話し合ったじゃないですか」

「全部ではありません！　たとえば、こちらにおいでのミス・グレイは、カーマイケル・クラーク卿が殺された日にはよそ者を見てもいなければ、話もしていないと言いました」

ソーラ・グレイはうなずいた。

「そのとおりです」

「そうでしょうか。レディ・クラークの話によれば、マドモワゼル、彼女は部屋の窓から、あなたが正面玄関の前に立って、男と話しているのを見かけたそうですが」

「奥さまが、わたしが知らない男と話しているのを見かけた？」ソーラは心から仰天しているようだった。たしかに、あの呆然とした表情はいつわりのものであるはずがない。

ソーラはかぶりをふった。

「奥さまは勘違いなさったにちがいありません。わたしはぜったいに――あっ！」

彼女はふいに驚きの声をあげた。頬が真っ赤に染まった。

「いま思い出しました！　なんてバカだったんでしょう！　すっかり忘れてました。でも大事なことじゃありません。行商人の一人が、ストッキングを売りにきたんです——ほら、よくいる退役軍人の一人です。とてもしつこいんですよ。やっとのことで追い払わなければなりませんでした。わたしがホールを通りかかったときに、たまたま玄関にやってきたんです。それでベルを鳴らさずに、わたしに話しかけてきました。でも、悪い人ではなさそうでした。だからすっかり忘れていたんだと思います」

ポアロは身体を左右に揺らし、両手で頭をおさえていた。夢中になって低い声でつぶやいているので、ほかの者は何も言わずに、まじまじと見つめるだけだった。

「ストッキング」と彼はつぶやいた。「ストッキング……ストッキング……ストッキング……そうとも《サ・ヴイヤン》……ストッキング……ストッキング……それが共通している——そうだ……三カ月前……そして先日……それから、いま。そうだ《ボン・デュー》、わかったぞ！」

ポアロはまっすぐ座りなおし、真剣な目をわたしにすえた。

「覚えてますか、ヘイスティングズ。アンドーヴァーです。あの店ですよ。わたしたちは二階にあがりましたね。寝室があった。椅子の上。新品のシルクのストッキング。いまようやく、二日前に気になったものがなんだったのかわかりました。あなたでした、マドモワゼル――」ポアロはミーガンのほうを向いた。「あなたはお母さんのことを話しましたね、お母さんが泣いたこと、なぜなら、殺人のあったその日に、妹さんのために新しいストッキングを買ってあげたから……」

　ポアロはわたしたち全員をぐるっと見まわした。

「わかりますね。同じことが三回、くりかえされている。偶然のはずがない。マドモワゼルがその話をしたとき、それが何かと関連しているような気がしました。いま、それがなんなのかわかりました。アッシャー夫人のお隣さん、ファウラー夫人が話した言葉です。いつも何かを押し売りしようとする人々のことで――彼女はストッキングのことにふれました。おしえてください、マドモワゼル、お母さんはそのストッキングを店ではなく、家にやってきた行商人から買ったのですか」

「はい――ええ――そうです……いま思い出しました。母は、あちこちまわり歩いて注文をとらなければならない気の毒な人たちがかわいそうだとかなんとか言ってました」

「でも、どんな関係があるというんですか」フランクリンが大声をあげた。「男がストッキングを売りにきたって、なんの証明にもなりませんよ！」

「はっきり言いますが、みなさん、これは偶然ではありえません。三つの犯罪があり――
――そのたびに一人の男がストッキングを売りにあらわれ、そのあたりのようすをさぐっていったのです」

　彼はくるっとソーラのほうを向いた。

「うかがいましょう《ア・ヴー・ラ・パロール》！　その男の人相をおしえてください」

　ソーラは途方にくれたような目で彼を見た。

「できません……わからないんです……眼鏡をかけていた、と思います――それにみすぼらしいコート……」

「もっと詳しく《ミュー・ク・サ》、マドモワゼル」

「猫背でした……よくわかりませんが。わたくし、ほとんど見てませんでした。人目につくような男性ではないんです……」

　ポアロが暗い口調で言った。

「おっしゃるとおりです、マドモワゼル。この殺人の秘密のすべては、あなたが述べた殺人者の人相にあります――その男が殺人者であることは間違いありません！　人目につくような男ではない、たしかに――それは疑問の余地がない……あなたは殺人犯の特徴を述べたんですよ！」

22 ヘイスティングズ大尉の記述ではない

アレグザンダー・ボナパート・カスト氏はじっと座りこんでいた。朝食は皿に載ったまま、手もつけられずに冷たくなってしまった。ティーポットに新聞がたてかけてあり、カスト氏はむさぼるようにそれを読んでいた。

カスト氏は急に立ちあがり、うろうろ歩きまわると、窓際の椅子にぐったり座りこんだ。両手に顔を埋め、押し殺したうめき声をあげた。

ドアがひらく音は聞こえなかった。下宿の女主人、マーベリ夫人が戸口に立っていた。

「あの、あたし思ったんだけど、カストさん、すてきな——あら、どうなさったんですか。具合がお悪いんですか」

カスト氏は両手から顔をあげた。

「なんでもありません。なんでもないんです、マーベリさん。ちょっと——今朝は調子があまりよくないだけです」

マーベリ夫人は朝食のトレイを見つめた。

「そうですね。朝ごはんに手もつけてない。また頭痛がするんですか」

「いや。少なくとも、ええ……わたしは——わたしは、ちょっと具合が悪くて」

「まあ、いけませんね、それは。じゃあ、きょうはお出かけになりませんね」

カスト氏はぱっと飛びあがった。

「いえ、いえ。出かけなければならない。仕事なんです。大事です。とても大事な仕事ですから」

両手がぶるぶるふるえていた。ひどく興奮しているようすを見て、マーベリ夫人はなだめようとした。

「そうですか、どうしても出かけなければならないんなら——まあ、しかたがないですものね。今度は遠いんですか」

「いや。今度は」——彼はちょっとためらった——「チェルトナムです」

その言葉を口にしたときのびくびくしたようすがとても奇妙だったので、マーベリ夫人はびっくりして彼を見つめた。

「チェルトナムはいいところですよ」マーベリ夫人はうちとけたようすで言った。「ある年にブリストルからいったんですけどね。すごくすてきなお店がいっぱいあって」

「そうでしょうね——ええ」

マーベリ夫人は苦しそうに身体をかがめ——かがむという動作はマーベリ夫人の体格にはむりがあったので——くしゃくしゃになって床に落ちている新聞をひろいあげた。

「最近の新聞に載ってるのは、例の殺人事件ばっかしね」大見出しにちらっと目をやってからテーブルにもどした。「ぞっとするわ。あたしは読まないことにしてます。また切り裂きジャックがあらわれたみたいな騒ぎですものね」

カスト氏の唇が動いたが、声は出てこなかった。

「ドンカスターですってね——犯人が次の殺しをする場所は」マーベリ夫人は言った。「それにあしたですって！　鳥肌がたってくるんじゃありませんか？　あたしだったら、もしもドンカスターに住んでいて、名前がDではじまってたら、一番列車で街を出ていきますよ。危険は避けたいですものね。いまなんとおっしゃいました、カストさん？」

「何も、マーベリさん——何も言ってません」

「競馬があるし。チャンスがいっぱいあると思ってるにちがいありませんよ、犯人は。何百人もの警官が配置されるそうですね、よそからも派遣されてくるって——おや、カストさん。顔色が悪いわ。何か薬をのんだほうがいいかもしれない。ほんとに、きょうはお出かけにならないほうがいいですよ」

カスト氏は重い身体を引きずるように立ちあがった。

「どうしてもいかなくてはならないんです、マーベリさん。わたしはいつもきっちりするんですよ——仕事を。みんなの信頼が——信頼してもらうことが大事なんです！　何かをするといったん決めたら、わたしは最後までやりぬきます。それがたった一つの道なんですよ——仕事をするときにはね」

「でも、病気だったら？」

「わたしは病気じゃありませんよ、マーベリさん。ちょっと心配事があるだけで——いろんな個人的なことで。よく眠れなかったし。ほんとに大丈夫です」

きっぱりした態度だったので、マーベリ夫人は朝食のトレイをもって、しぶしぶ部屋を出ていった。

カスト氏はベッドの下からスーツケースを引きずりだし、パックしはじめた。パジャマ、洗面用具入れ、予備のカラー、革製の上靴などを入れた。それから戸棚の錠をはずし、棚においてあった一ダースの、縦二十センチ、横十五センチほどのひらたいボール箱をとりだしてスーツケースに移した。

テーブルの鉄道案内にちらっと目をやり、スーツケースをもって部屋を出た。

ホールでスーツケースをおろし、帽子をかぶり、コートを着た。そうしながら深いため息をついた。あまりに深いため息だったので、横の部屋から出てきた若い娘が、気遣わしげに彼を見た。

「どうかなさったの、カストさん？」

「なんでもありません、リリーさん」

「大きなため息をついてらしたわ！」

カスト氏は唐突に言った。

「あなたは何かを予感することがありますか、リリーさん。虫の知らせみたいなものが？」

「そうねえ、どうかしら、よくわからないけど……もちろん、何もかもうまくいかないだろうなって気がする日はあるけど。それに、何もかもうまくいきそうだっていう感じがする日も」

「そうですね」カスト氏は言った。

彼はまたため息をついた。

「じゃあ、さよなら、リリーさん。さよなら。ここではいつも、とても親切にしてくださいましたね」

「まあ、さよならなんて言わないで。まるでもう帰ってこないみたいじゃないの」リリーは笑った。

「ええ、ええ、もちろんそんなことはありません」

「金曜日には会えるでしょ」娘は笑った。「こんどはどちらにいらっしゃるの。また海岸のほう？」

「いえ、ちがいます――そのう――チェルトナムです」

「そう、それはいいわね。でも、トーキイほどすてきじゃないけど。あそこはきっとすばらしいわ。来年は休みのときにいきたいわ。ところで、あなたはあの殺人があった場所のすぐ近くにいらしたんでしょ――ABC殺人事件の。あっちにいってるあいだに起こったんでしょ？」

「そのう――はい。でもわたしがいたのは、チャーストンから十キロほど離れたところでした」

「それでも、すごくスリルがあるわ！　だって、通りで殺人犯とすれちがったかもしれないじゃない！　すぐそばにいたのかもしれないのよ！」

「ええ、そうかもしれないです、もちろん」カスト氏がぞっとするような、ゆがんだ微笑を浮かべたので、リリー・マーベリはそれに気づいた。

「まあ、カストさん。具合が悪そうよ」

「わたしは大丈夫です。ほんとに大丈夫です。さよなら、リリーさん」

ぎごちない指で帽子の端をもちあげ、スーツケースをつかみ、せかせかと玄関ドアのほうへ向かった。

「おかしな人だわ」とリリー・マーベリはカスト氏の妙なふるまいを大目にみるような口調でつぶやいた。「少し頭が変になっちゃったみたい」

クローム警部は部下に言った。

「ストッキング製造工場のリストをつくって、それを配布してくれ。セールスマンのリストがほしい——歩合をとって販売するとか、注文をとってくる連中だ」

「ABC事件の関係ですか」

「そうだ。これもエルキュール・ポアロ氏の思いつきの一つだよ」警部はバカにしたような口調で言った。「たぶん、なんにもありゃせんよ。だが、チャンスがあるなら、どんなに小さなことでもないがしろにするわけにはいかん」

「そうですね。ポアロ氏は全盛期には手柄をたてたこともありますが、このごろは少しばかり焼きがまわったようですからね」

「いかさま師さ」クローム警部は言った。「いつも恰好をつけてるだけだ。たぶらかされる連中もいるさ。だが、このわたしをたぶらかすことはできん。ところで、ドンカスターの手配のことだが……」

トム・ハーティガンがリリー・マーベリに言った。

「今朝、きみんとこの退役軍人を見かけたよ」

「誰のこと？　カストさん？」

「カストさ。ユーストン駅でね。迷子になっためんどりみたいに見えたよ、例によってね。あいつ、半分いかれてるんじゃないかな。面倒をみてやる人間が必要だな。ばさっと新聞を落としたと思ったら、次は切符を落とした。ぼくがひろってやったよ——あいつときたら、切符を落としたことにもぜんぜん気づいてなかった。神経が高ぶってるようすでありがとうと言ったけど、ぼくだとわかった気配はなかったね」

「そりゃそうよ」とリリーは言った。「あの人はあなたとは廊下ですれちがうだけだし、それもたびたびあることじゃないでしょ」

ふたりはフロアをぐるっと踊った。

「きみはダンスがうまいね」トムが言った。

「お世辞なんか言っちゃって」リリーはそう言うと、さらに身体をくねらせてトムに寄りそった。

二人はまたぐるっとひとまわりした。

「いまユーストンと言った？　それともパディントン？」リリーがだしぬけに訊いた。

「どこでカストさんと会ったの？」

「ユーストンだ」

「それ、たしか？」

「もちろんさ。どうして？」

「へんね。チェルトナム行きの列車はパディントン駅から出ると思ってたけど」

「そうだよ。でも老いぼれカストはチェルトナムへはいかない。あいつはドンカスターへいった」

「チェルトナムよ」

「ドンカスターだ。ぼくは知ってるんだよ、お嬢ちゃん！　だって、ぼくはあいつの切符をひろったんだからね」

「でも、あたしにはチェルトナムへいくって言ったのよ。たしかに言ったわ」

「ふうん、聞き間違えたんだよ。あいつはドンカスターへいった。運のいい連中もいるんだな。ぼくはレジャー競馬でファイアフライにちょっぴり賭けたから、レースを見たいよ」

「カストさんが競馬にいくとは思えないわ、そういうタイプには見えない。ねえ、トム、あの人、殺されなければいいけど。次のＡＢＣ殺人があるのはドンカスターなのよ」

「カストなら大丈夫だ。名前がＤではじまってないからね」

「この前だって、殺されたかもしれないのよ。この前の殺人のときはチャーストンのすぐ近くのトーキイにいたんだから」

「ほんとに？　それは偶然だな、そうだろ？」

トムは笑った。

「その前はベクスヒルにいたなんてことはないんだろ」

リリーは眉を寄せた。

「あの人、どこかにいってたわ……ええ、遠くにいってたことは覚えてる……だって、水着を忘れてたから。母さんが繕ってあげたのよ。母さんはこう言ったわ。『おや——きのうカストさんは結局、水着なしでいっちまったんだね』って。あたしはこう言った。『まあ、古い水着なんかどうでもいいわ——あそこではひどい殺人事件があったのよ』って。『ベクスヒルで若い女性が首を絞められて殺されたのよ』」

「そうか、水着をもってくつもりだったんなら、海岸へいったにちがいないな。ねえ、リリー」――トムは楽しそうに顔をくしゃくしゃにした。「きみんとこの退役軍人が殺人犯だとしたらどうだい？」

「お気の毒なカストさんが？　虫も殺せないような人よ」リリーが答えた。

ふたりは楽しそうにダンスをつづけ――意識のなかでは一緒にいる楽しさしか感じていなかった。

だが無意識のレベルでは、何かがうごめいた……。

23　九月十一日、ドンカスター

ドンカスター！

その九月十一日のことは、おそらく一生忘れないだろうと思う。

じっさい、セント・レジャー競馬と見聞きするたびに、わたしの心は自動的に、競馬ではなく殺人事件へと飛んでいく。

そのときの自分自身の感情を思い出すときに、まっさきに浮かんでくるのは胸の悪くなるような無力感だった。わたしたちはそこに――現場にいた。ポアロとわたし自身、クラーク、フレイザー、ミーガン・バーナード、ソーラ・グレイ、それにメアリ・ドラウアー。だがあのとき、最後の手段として、いったいわたしたちに何ができただろうか。

わたしたちにはかすかな希望しかなかった――何千という群衆のなかに、一カ月か二カ月か、あるいは三カ月前にぼんやり見ただけという顔なり姿かたちなりを見つけるというチャンスをあてにしていたのだ。

　じっさいには、見込みはそれよりもはるかに少なかった。わたしたちのなかで、犯人をそうやって見つける可能性があると思えるのは、ソーラ・グレイただ一人しかいなかったのだ。

　その緊張感のために、彼女の落ち着きはいくらか失われた。穏やかだがてきぱきした有能な物腰が消えてしまった。彼女は座りこんで両手をねじりあわせ、涙ぐんで、とぎれとぎれにポアロに訴えた。

「わたくし、その男をはっきり見ていないんです……どうしたことでしょう。ほんとに愚かですわ。あなたはわたくしをあてにしていらっしゃる、あなたがた全員があてにしていらっしゃる……それなのに、わたくしは期待を裏切ってしまいます。だって、またその男を見かけても、それとわからないかもしれないんですもの。わたくし、もともと顔をよく覚えられないんです」

　ポアロはそれまでわたしにはなんと言おうと、ソーラを手厳しく批判しているように見えようと、いまは彼女にたいして親切そのものだった。ポアロの態度は極端なほどやさしかった。ポアロは苦境にある美女にたいして、わたしと同じように無関心ではいられないのだ、と気づいて意外な思いがした。

　ポアロはやさしくソーラの肩をたたいた。

「さあさあ、お嬢《プティット》さん、ヒステリックにならないで。それではいけませんよ。その男を見かければ、ちゃんとわかりますとも」

「そんなこと、どうして言えます？」

「ああ、理由はたくさんあります——たとえば、黒のあとは赤になるんです」

「いったいどういう意味なんですか、ポアロ？」わたしは大声をあげて訊いた。

「ゲーム台で使われる言葉ですよ。ルーレットでは、長いあいだ黒がつづくかもしれません——でもいつかは赤が出るにきまっている。それが数学的な確率の法則です」

「ツキがまわってくるということですか」

「そのとおりです、ヘイスティングズ。そしてそこでギャンブラーは（それに殺人者は、つまるところ、金ではなく自分の命を賭ける究極のギャンブラーにちがいありませんからね）理性的な予想ができなくなるんです。自分は勝ったのだから、これからも勝ちつづけると思いこんでしまうんです！　ポケットが一杯になったときをみはからってゲームを終わるということができない。それと同じように、犯罪に成功している殺人者は、成功しないという可能性を考えることができないのです！　成功したのはすべて自分の力によるものだと思いこむ——しかし、はっきり言っておきますが、たとえどれほど綿密に計画していようと、幸運に恵まれずに成功する犯罪などありえません！」

「そこまでは言い切れないんじゃないですか」フランクリン・クラークが異議を唱えた。

ポアロは興奮したように両手をふりまわした。

「いや、いや。なんなら、五分五分のチャンスと言ってもいい。でも自分に分がなければどうしようもないんです。考えてみてください！　殺人者がアッシャー夫人の店を出ようとしたそのとき、誰かが入ってきたかもしれないんですよ。その人物はカウンターの後ろをのぞいてみようと思い、死んだ女性を見て——その場で殺人犯を捕まえたか、警察に正確な人相を知らせて、それが逮捕につながったかもしれないんです」

「ええ、もちろん、それはありえますね」クラークは認めた。「問題は、殺人者がその危険を冒さなければならないことだ」

「まさにそうです。殺人者はつねにギャンブラーなんです。それに、多くのギャンブラーと同じように、殺人者はいつやめればいいのか潮時を知らないことが多いのです。犯罪をするたびに、自分の能力にたいする評価が高くなります。バランス感覚がゆがむ。こうは言いません、『自分は頭がよくて、しかも運がよかった！』。こう言うだけです。『自分は頭がいい！』。そして頭のよさにたいする自己評価はますます高くなり、そして、みなさん《メ・ザ・ミ》、ルーレットはまわり、色彩が動き——玉は新しい数字の上に落ち、賭け元が声をあげるのです。『赤《ルージュ》』と」

「今回そういうことになると思いますか」ミーガンが眉をひそめて言った。

「いずれはそうなるにちがいありません！　これまでは幸運は犯罪者の側にありました——いずれ風向きが変わり、幸運はわたしたちのところにやってきます。すでに変わったとわたしは信じています！　ストッキングという手がかりがはじまりです。いまや、犯人にとってすべてがうまくいくかわりに、すべてがまずくなるでしょう！　そして、彼も間違いを犯しはじめます……」

「あなたには勇気づけられる、と言っておきましょう」フランクリン・クラークが言った。「われわれはみな、少しばかり慰めが必要ですからね。今朝、目が覚めてから、ずっと無力感にとらわれて、麻痺したみたいになってたんです」

「何か役に立つことがぼくたちにできるものか、大いに疑問があるように思えます」ドナルド・フレイザーが言った。

ミーガンがたしなめるように言った。

「弱気になっちゃだめよ、ドン」

メアリ・ドラウアーがやや頬を紅潮させて言った。

「やってみなければ、どういう結果になるかわからないわ。あの悪党はここにいて、わたしたちもここにいるのよ——そして、ときにはとっても妙なふうにばったり人に出くわすことってあるものだわ」

わたしはいきりたって言った。

「もう少し何かできればいいんですがね」

「忘れてはいけませんよ、ヘイスティングズ。可能だと思えることは、すべて警察がやっているんです。特別に警官が招集されました。仕事熱心なクローム警部は態度こそいらいらさせられますが、きわめて有能な警察官ですし、警察本部長のアンダースン大佐は行動の人です。彼らは全力をあげてドンカスターの街と競馬場に目を光らせ、パトロールしています。私服の警官がいたるところに張りこんでいる。それに新聞で大々的にとりあげられています。一般大衆は充分に警戒心をかきたてられているんです」

ドナルド・フレイザーが頭をふった。

「やつは手を出そうとしない、と思いますね」彼は希望をこめて言った。「そんなことをしたら、ただの狂人にすぎないことになる！」

「あいにくだがね」クラークが皮肉っぽく言った。「やつは狂ってるんだ！　どう思いますか、ムッシュー・ポアロ。やつはあきらめるでしょうか、それともやりとげようとするでしょうか」

「わたしの考えでは、彼の強迫観念はきわめて強いので、自分の約束を何がなんでも果たそうとするにちがいないでしょうね！　そうしなければ失敗を認めることになりますから、彼の常軌を逸した自尊心には耐えがたいでしょう。これは、言っておくと、トンプスン博士の意見でもあります。犯行に及ぼうとしている現場をおさえられればいいんですがね」

フレイザーがまた頭をふった。

「やつはとても悪知恵がある」

ポアロが時計に目をやった。わたしたちにはそれが合図になった。わたしたちはきょう、まる一日、活動をつづけるという了解ができていた。午前中はできるだけ多くの通りを巡回し、そのあとは競馬場の要所要所に立つことになっている。

いま「わたしたち」と言った。むろん、わたしの場合、巡回したところでたいして役に立たないだろう、ＡＢＣを見かけたことがないはずだからだ。しかしながら、できるだけ広範囲に散らばるということなので、わたしはご婦人方の一人の護衛をすると提案していた。

ポアロは同意してくれたが——遺憾なことに、目がからかうようにきらりと光った。

女性たちは帽子をとりにいった。ドナルド・フレイザーは窓際に立って外を眺め、もの思いに沈んでいるようすだった。

フランクリン・クラークはちらりと彼のほうを見てから、どうやらフレイザーは考えごとにふけっているので何も耳に入らないだろうと判断したらしく、少し声を低めてポアロに話しかけた。

「ねえ、ムッシュー・ポアロ。あなたがチャーストンへいらして、義姉《あね》に会われたことは知ってます。義姉は、その、言うとか――ほのめかすとか――つまり、義姉は暗示するとか――」

彼は当惑したようすで、口をつぐんだ。

ポアロは虚心坦懐という顔をつくって答えたが、それを見たわたしの心のなかには、疑惑がむくむくと頭をもたげた。

「なんですって《コマン》？　お義姉さんが言うか、ほのめかすか、暗示したというのは――いったい何をですか」

フランクリン・クラークは顔を赤らめた。

「たぶん、いまは個人的なことをもちだすときではないとお考えでしょうが――」

「とんでもない《デュ・トゥー》！」

「でも、はっきりさせておきたいんです」

「それはよいことです」

こうなるとクラークは、ポアロが何気なさそうな顔をしながらじつは面白がっているのではないかと疑念を抱きはじめたようだった。彼は重い口調で言いはじめた。

「義姉はとてもすてきな女性です――わたしはずっと彼女が好きでしたが――もちろん、彼女は病気で――ああいう病気だと――麻薬やなんかで――つい――そのう、まわりの人たちについて妄想を抱くものです!」

「ほう?」

いまはもう、ポアロのいたずらっぽい目の輝きは間違えようがなかった。

だが、フランクリン・クラークは微妙な問題をうまく説明しようと懸命になっていたので、それには気づかなかった。

「じつは、ソーラの――ミス・グレイのことですが」と彼は言った。

「ほう、あなたが話したいのはミス・グレイのことですか」ポアロの口調には何気なさそうな驚きがこもっていた。

「ええ。レディ・クラークには思いこみがあるんです。ご存知のように、ソーラは――ミス・グレイはとてもきれいな女性で――」

「たぶん――ええ、そうですね」ポアロは認めた。

「それに女性というものは、たとえとても優れた女性でも、ほかの女性にたいしていささか意地悪になるものです。もちろん、ソーラは兄にとってなくてはならない人でした――こんなに優秀な秘書ははじめてだといつも言ってましたし――とても気に入ってました。でも、それはあくまでも真面目なものであり、うしろめたさのまったくない関係でした。わたしが言いたいのは、ソーラはある種の女性とはちがうということで――」

「ちがうのですか？」ポアロが助け船をだした。

「でも、義姉は思いこみが激しくて――そのう――やきもちをやいていたんだと思います。自分の気持ちをあらわにしたことはありません。でもカーが死に、ミス・グレイがあの家にそのまま残るという話がもちあがったとき――そのう、義姉のシャーロットはかっとなったんです。もちろん、病気のせいもあるし、モルヒネや何かのせいで――キャプスティック看護婦が言ってたんですが――シャーロットがそういうふうに思いこんでしまっても、責めてはいけないと――」

彼は口ごもった。

「それで？」

「わかっていただきたいのは、ムッシュー・ポアロ、現実には何もなかったということです。病の床にある女性の妄想にすぎないのです。これを見てください」――彼はポケットをさぐった――「マレー半島にいたときに受けとった兄の手紙です。これを読んで

くださ い、二人がどういう関係だったかが書かれていますから」
ポアロは手紙を受けとった。フランクリンはポアロの横にいき、指で指し示しながら、声をあげてその一部を読みあげた。

――ここでは万事がふだんと同じように進行している。シャーロットの苦痛はあまりひどくない。苦痛はぜんぜんないと言えればいいのだが。ソーラ・グレイのことは覚えているだろうか。とてもいい娘で、おまえには話せないほどの慰めを与えてくれる。彼女がいなかったら、このつらい時期をどう切り抜ければいいのか、わからなかっただろう。彼女の同情と関心は限りがない。趣味はすばらしく、美しいものにたいする直観力が鋭く、中国美術にたいしてわたしと同じような情熱をもっている。彼女のような秘書を見つけられてわたしは幸運だった。たとえわたしに娘がいても、彼女ほど親密な、同情心にあふれた話し相手にはなれなかっただろう。彼女のこれまでの人生は厳しいものだったし、しあわせではなかったが、ここが彼女にとって家庭となり、真の愛情を見いだせたようなので、じつによかったと思う。

「ほらね」フランクリンは言った。「これが彼女にたいする兄の気持ちなんです。ソーラのことを実の娘のように思っていました。不公平だと思えるのは、兄が死んだとたん、義姉が彼女を家から追いだしたことです！　女性というものは、ほんとに鬼ですね、ムッシュー・ポアロ」

「お義姉さんは病気で、苦痛に苛まれているんですよ。それをお忘れになってはいけません」

「わかってます。自分にいつもそう言い聞かせてるんです。義姉を批判してはいけないんだ。それでも、これをお見せしようと思いました。義姉が何を言ったかわかりませんが、ソーラについて誤った印象をもっていただきたくないんです」

ポアロは手紙を返した。

「ご安心を」ポアロは微笑みながら言った。「わたしは他人に何を言われようと、誤った印象をもつことは断じてありません。わたしは自分で判断しますから」

「そうですか」クラークは言い、手紙をしまった。「とにかく、お見せしてよかった。さあ女性たちがきますよ。そろそろ出かけたほうがいいですね」

部屋を出たとき、ポアロがわたしを呼びとめた。

「あなたはこの探索に同行する決心をしているんですか、ヘイスティングズ」

「ええ、そうです。ここで手をこまねいていてもしかたがありませんからね」

「精神の活動というものもあるんですよ、肉体的な活動と同じように、ヘイスティングズ」

「なるほど、それにはわたしよりあなたのほうが向いているようですね」わたしは言った。

「それは反論しがたい真実です、ヘイスティングズ。あなたはご婦人方の一人に付き添って騎士役をつとめるつもりだと考えていいんですか」

「そのつもりです」

「で、どのご婦人に付き添ってあげようと考えているんですか」

「それは——そのう——ええと——まだ考えていません」

「ミス・バーナードではどうですか」

「あの人はかなり独立独歩のタイプですからね」わたしは反対した。

「ミス・グレイは？」

「ええ、彼女のほうがいいですね」

「ヘイスティングズ、あなたはひどい、そして見え透いた嘘つきですよ！　最初から金髪の天使とまる一日すごすつもりじゃないですか！」

「ああ、そんな、ポアロ！」

「あなたの計画をひっくり返して申し訳ありませんがね、ほかの女性の護衛をするようにお願いします」

「おや。いいですよ。あなたはあのオランダ人形のような娘さんに弱いんだと思ってましたからね」

「あなたに護衛をしてもらいたいのはメアリ・ドラウアーです――それに彼女のそばから離れないようにお願いしなければなりません」

「でも、ポアロ、いったいなぜ?」

「なぜなら、親愛なるヘイスティングズ、彼女の名前がDではじまるからです。わたしたちは危険を冒すわけにはいきません」

彼の言葉が正しいことはすぐに見てとれた。最初はとうていありそうもないことだと思えたが、ABCがポアロを猛烈に憎悪しているとすれば、ポアロの行動について情報を得ているかもしれない。その場合、メアリ・ドラウアーを消すのは、四番目の攻撃としては申し分がないことになる。

わたしは信頼をぜったいに裏切らないと約束した。

部屋を出ていくとき、あとに残ったポアロは窓に近い椅子に座っていた。

ポアロの目の前には小さなルーレット盤があった。彼は盤をまわし、わたしがドアの外に出たとき、声をかけてきた。

「赤だ――よい前兆ですよ、ヘイスティングズ。ツキがまわってきた！」

24　ヘイスティングズ大尉の記述ではない

レドベター氏は、隣りに座っていた人物が立ちあがり、自分の前を窮屈そうに通ろうとしてよろめいたはずみに帽子を前列の座席に落としてしまい、身体をかがめてひろおうとしたとき、息を殺していらだたしげにうなった。

哀愁と美しさに満ちた波瀾万丈のドラマ、《一羽の雀も》のクライマックスだったし、レドベター氏はこの豪華キャスト映画を一週間前から楽しみにしていたのだ。

キャスリン・ロイヤル（レドベター氏に言わせれば、世界最高の映画女優）が扮した金髪のヒロインが、怒りにかられてかすれ声で叫んだところだった。

「いやです。そのくらいなら、飢え死にしたほうがましだわ。でも、飢え死にはしません。聖書のこの言葉を忘れないで。『一羽の雀も地に落ちることはない……』」

レドベター氏はいらいらして頭を左右にふった。こういう連中ときたら！　いったいどうしてこういう連中は、映画が終わるまで待てないんだ……よりにもよって、魂が揺さぶられるような瞬間に出ていこうとするなんて。

ああ、これでいい。いまいましい男は通りすぎていき、通路に出た。レドベター氏の前にはスクリーンがひろがり、キャスリン・ロイヤルが、ニューヨークのヴァン・シュライナー・マンションの窓際に立っていた。

そして場面は変わり、いま彼女は列車に乗ろうとしている――子供を腕に抱いて……。それにしてもアメリカの列車はなんと奇妙なのだろう――イギリスの列車とはまるでちがう。

ああ、山小屋にいるスティーヴがまたスクリーンにあらわれた……。

映画は感動的な、半ば宗教的な結末へと進んでいった。

ライトがつくと、レドベター氏は満足の吐息をもらした。

ゆっくりと立ちあがり、ちょっとまばたきした。

映画館をせかせかと出ることは決してなかった。日常生活の散文的な現実へともどる前に、かならず時間をかけることにしていた。

彼はまわりを見まわした。この午後には、観客は多くなかった――当然といえば当然だ。みな競馬場にいっているのだ。レドベター氏は競馬には反対だったし、カードも酒を飲むのも、煙草をふかすのも好きではなかった。だからこそ、映画を楽しむエネルギーが残っているのだ。

観客たちは出口へと急いでいる。レドベター氏もそちらへいこうとした。前の座席の男は居眠りをしていた――ぐったりと椅子にもたれて、ずり落ちかけている。レドベター氏は《一羽の雀も》のような映画が上映されているあいだに居眠りをするような人間がいると思うと憤然とした。

眠っている男が脚を投げだしているのに邪魔されて通路に出られない紳士が、いらだって声をかけた。

「すいませんが、通してください」

レドベター氏は出口にたどりついた。そこでふり返ってみた。

ざわざわした動きがあるようだった。警備員がいる……人々がかたまっている――たぶん、前の座席の男は眠っているのではなく、前後不覚に泥酔しているのだろう……。

レドベター氏はちょっとためらい、それからドアの外に出た――そのため、その日のセンセーショナルな事件を見逃してしまった――セント・レジャー競馬でノット・ハーフ号が八十五対一で勝ったというニュースよりもセンセーショナルな大事件だった。

警備員が言っていた。

「おっしゃるとおりですよ、お客さん……この人は病気らしいです……ねえ――どうなさったんですか」

もう一人の男が叫び声をあげて手を引っこめ、ねばねばする赤い汚れを見つめた。

「血だ……」

警備員が押し殺した叫び声をあげた。

警備員の目が座席の下から突きでている黄色いものの端をとらえた。

「なんてことだ！」彼は声をあげた。「これはａｂ——ＡＢＣだ」

25　ヘイスティングズ大尉の記述ではない

カスト氏はリーガル映画館の外に出て、空を見あげた。

美しい夕暮れ……じつに美しい夕暮れだ……

ブラウニングの詩句が脳裡に浮かんだ。

〝神、天にしろしめし、すべて世はこともなし〟

その詩句が彼は大好きだった。

ただし、その詩句どおりではないと感じるときがあった、しかもたびたび……。

彼は笑みを浮かべながら通りを早足で歩き、宿泊している〈ブラック・スワン〉へたどりついた。

階段を登って自分の部屋へいった。それは三階にある息のつまりそうな狭苦しい部屋で、舗装した中庭とガレージが見下ろせた。

部屋に入ったとたん、すっと微笑が消えた。袖口の近くに染みがついていた。こわごわさわってみた――濡れていて、赤い――血だ……。

片手をポケットに突っこみ、何かをとりだした――長い、細身のナイフだ。その刃も、べたべたして、赤かった……。

カスト氏は長いあいだ座りこんでいた。

一度、狩りたてられている動物のような目で、部屋をさっと見まわした。

舌が熱に浮かされたように唇をなめまわした……。

「わたしが悪いんじゃない」カスト氏は言った。

誰かに言い返しているような感じだった……小学生が校長先生に訴えているような。

また舌が唇をなめた。

またしても、おそるおそる上着の袖にさわった。

目が部屋の反対側にある洗面台を見た。

一分後、彼は古めかしい水差しをとり、水を洗面器にあけた。上着を脱ぎ、袖をひたし、ていねいに揉んだ……。

ああ！　今度は水が赤くなった……。

ドアにノックの音がした。

カスト氏は凍りついたようにそこに立ちすくんだ――目を見据えて。

ドアがひらいた。太った若い女が入ってきた——手に水差しをもっていた。
「あら、失礼します、旦那さま。お湯をおもちしました」
カスト氏はようやく口がきけるようになった。
「ありがとう……もう水で洗ったところです……」
なぜそんなことを言ってしまったのだろう。そのとたん、女の目が洗面器を見た。
カスト氏は逆上したように言った。「わたしは——わたしは手を切ってしまって……」
間があった——そう、とても長い間があり——やがて女が言った。「そうですか」
女は出ていき、ドアを閉めた。
カスト氏は石になってしまったように、そこに立ちつくした。
耳を澄ました。
その時がきたのだ——とうとう……。
声がするだろうか——叫び声が——階段を登ってくる足音が？
何も聞こえなかった、自分の心臓の鼓動以外には……。
そして、突然、金縛り状態から、一挙に活動を開始した。
上着を着て、忍び足でドアまでいき、そっとあけた。バーから立ちのぼってくる聞きなれたざわめき以外には何も聞こえない。足音を忍ばせて階段を降りた……。

誰もいない。運がよかった。階段の下で足をとめた。今度はどちらへいけばいいだろう？

カスト氏は決心し、足早に廊下を通り、中庭に面したドアから外に出た。二人のお抱え運転手がそこで車の手入れをしながら、競馬の勝敗について話していた。

カスト氏はすばやく中庭を抜けて通りに出た。

最初の角を右に曲がり——それから左に折れ——また右に曲がり……。

思いきって駅へいってもだいじょうぶだろうか。

そう——駅には群衆がひしめいている——特別の臨時列車が出る——運がよければ、うまくやってのけられるだろう……。

運がよければ……。

26　ヘイスティングズ大尉の記述ではない

クローム警部はレドベター氏が興奮してまくしたてるのを聞いていた。

「ほんとうですよ、警部さん。あのことを考えると、心臓がとまりそうになる。あの男は、映画のあいだ、ずっとわたしの横に座ってたにちがいないんだ！」

クローム警部はレドベター氏の心臓などどうでもいいらしく、こう言った。

「はっきりさせましょう。その男は映画が終わる直前に出ていった――」

「《一羽の雀も》です――キャスリン・ロイヤルの」レドベター氏は自動的につぶやいた。

「その男はあなたの前を通り抜けようとして、つまずいた――」

「つまずくふりをしたんです、いまになってわかりましたが。そして前列の席に身を乗りだして帽子をひろった。そのときにあの気の毒な人を刺したにちがいありません」

「何も聞こえなかったんですか。叫び声とか。うめき声とか？」

キャスリン・ロイヤルのハスキーな声以外には何も聞いていないが、レドベター氏のたくましい想像力がうめき声をつくりだした。

クローム警部はうめき声を聞いたというレドベター氏の言葉をそのまま受け入れ、先をつづけるようにうながした。

「それから男は出ていき――」

「人相を話してもらえますか」

「とても大柄でした。少なくとも一八〇センチくらいはあったな。大男です」

「金髪ですか、黒髪ですか」

「わたしは――そのう――はっきりしません。禿げていたような気がします。陰険そうなやつです」

「足を引きずっていませんでしたか」クローム警部は訊いた。

「ええ――はい、そう言われてみると、たしかに足を引きずっていたような気がする。肌の色が黒っぽかったな。混血かもしれません」

「照明がついているとき、その男は席にいましたか」

「いいえ。映画がはじまってから入ってきたんです」

クローム警部はうなずき、供述書に署名させると、レドベター氏を帰らせた。

「まったく役立たずの証人ですね」警部はがっかりしたように言った。「ちょっと水を向けると、なんでもしゃべる。犯人の外見について何も知らないことはあきらかです。警備員を呼びましょう」

警備員は軍人のようにしゃちほこばって入ってくると、気をつけの姿勢で立ち、警察本部長のアンダースン大佐をじっと見つめた。

「さて、それでは、ジェイムスン、きみの話を聞こう」

ジェイムスンは敬礼した。

「はい、閣下。映画が終わってからのことであります。自分は具合が悪くなった客がいるという連絡を受けました。その客は二シリング四ペンスの席で、ぐったりしていました。ほかの客がまわりに立っていました。問題の客はひどく具合が悪そうでした。そばに立っていた客のひとりが、具合が悪そうな客の上着に手をかけ、自分の注意をうながしました。血がついてました。その客が死んでいることは明瞭でした――刺されたのです。自分の注意は、座席の下にあったＡＢＣ鉄道案内に引きつけられました。正しい行動をとらなくてはと思い、自分はそれには手をふれず、ただちに警察に連絡し、事件が起こったと通報いたしました」

「たいへんけっこう。ジェイムスン、きみの行動はまったく適切なものだった」

「ありがとうございます」

「きみはその五分ほど前に、二シリング四ペンスの席にいたほかの客が立ち去るのを見たかね」

「そういう客は数人いました」

「彼らの人相を言えるかね」

「残念ですが。ひとりはジョフリー・パーネルさんでした。それに若い客がいました、サム・ベイカーと連れの若いご婦人です。ほかの客のことはとくに気づきませんでした」

「残念だ。もういいぞ、ジェイムスン」

「はい」

警備員は敬礼して、その場から立ち去った。

「医師の詳細な報告が手に入った」アンダースン大佐が言った。「次は被害者を発見した男にきてもらったほうがいいな」

警官が入ってきて、敬礼した。

「エルキュール・ポアロ氏がお見えです、もう一人の紳士と一緒に」

クローム警部は顔をしかめた。

「ふむ、そうか」と彼は言った。「入ってもらおうか、しかたがない」

27　ドンカスター殺人事件

ポアロのすぐ後ろにつづいていたわたしの耳に、クローム警部の言葉の最後の部分だけが聞こえた。

クローム警部と警察本部長のアンダースン大佐は心を悩ませ、意気消沈しているようだった。

アンダースン大佐がわたしたちを見て頭をうなずかせた。

「よくいらしてくださいました、ムッシュー・ポアロ」大佐は礼儀正しく言った。クロームの言葉がわたしたちの耳にとどいたかもしれないと考えたのだろう。「またやられましたよ」

「またABCの殺人ですか」

「ええ。ひどく大胆なやり口です。前かがみになって、被害者の背中を刺したんです」

「今回は刺したのですか」

「ええ、手口を少しずつ変えてますね。頭を殴打し、首を絞め、今回はナイフです。多才な悪魔やろうだ——でしょう？　ごらんになりたければ、ここに医者の報告書があります」

大佐は報告書をポアロのほうに押しやった。「ABC鉄道案内が床の、死んだ男の足のあいだにありました」と彼はつけ加えた。

「死者の身元はわかったのですか」ポアロが訊いた。

「ええ。ABCは今回ばかりは失敗したようです——それでわれわれの気持ちがすむものなら。被害者はアールスフィールドといいます——ジョージ・アールスフィールド。頭文字はDではなくEではじまります。理髪師です」

「奇妙ですね」ポアロが言った。

「一字飛ばしたのかもしれませんね」大佐がほのめかした。

わたしの友人は疑わしげにかぶりをふった。

「次の証人を呼びますか」クローム警部が訊いた。「早く帰りたがっていますので」

「ああ、そうか——つづけよう」

入ってきたのは『不思議の国のアリス』に登場する蛙の従僕にそっくりの中年男だった。ひどく気持ちが高ぶっているらしく、興奮のあまりきんきん声になっていた。

「こんなにショッキングな経験ははじめてですよ」彼は甲高い声で言った。「わたしは心臓が弱いんです――ひどく心臓が弱いもので、ひょっとしたら、あの世いきになってしまったかもしれないんです」

「お名前をおしえていただけますか」警部が言った。

「ダウンズです。ロジャー・エマニュエル・ダウンズ」

「ご職業は？」

「ハイフィールド男子校の教師です」

「では、ダウンズさん、何が起こったのかあなた自身の言葉で話していただけますか」

「ごく手短に話せますよ、みなさん。映画が終わると、わたしは席から立ちあがりました。左側の席はからでしたが、その隣りの席に一人の客が座り、どうやら居眠りをしているようでした。わたしはその前を通って通路に出ようとしたのですが、両脚を突きだしているのが邪魔になって出られません。だから、通らせてくださいと頼みました。その人が動かなかったので、わたしは同じことを――ええと――そのう――いくらか声を大きくしてまた言いました。それでも返事がないので、肩をつかんでゆり起こそうとしました。その人の身体がさらにぐったりと前のめりになったので、意識を失っているのか、ひどく具合が悪いのだろうと気づきました。それで声をあげたんです。『この人は具合が悪そうだ。警備員を呼んでください』。警備員がやってきました。その人の肩から手を離したとき、濡れて真っ赤になっているのがわかりました……まったく、みなさん、あのショックはひどかった！　とんでもないことになったかもしれないんだ！　わたしは何年も前から心臓病を患っていまして——」

アンダースン大佐は妙な表情を浮かべてダウンズ氏を見ていた。

「あなたは運がよかったとお考えになったほうがいいですよ、ダウンズさん」

「わかってます。心悸亢進にさえならなかったんですからね！」

「わたしの言わんとすることがおわかりではないようだ、ダウンズさん。あなたは被害者から一つ離れた席に座っていた、とおっしゃいましたね」

「じつは最初、殺された人の隣りに座っていたんです——それから移動しました、空席の後ろになるように」

「あなたは被害者と背恰好が似ておられる。それに、同じようにウールのえりまきをまいていますね」

「何をおっしゃりたいのかよくわかりませんが——」ダウンズ氏は強ばった口調で言いはじめた。

「こういうことです」アンダースン大佐は言った。「あなたは運がよかった。殺人者はあなたのあとをつけて映画館に入ってきたが、そこで間違えたんです。彼は間違った人の背中を刺した。犯人があなたを狙ったのでなければ、わたしは帽子を食べてもいい！」

ダウンズ氏の心臓がそれまでの試練に耐えたとしても、今度ばかりはもちこたえられなかった。ダウンズ氏は崩れるように椅子に沈みこみ、あえぎ、顔が赤黒くなった。

「水を」ダウンズ氏はあえぎながら言った。「水をください……」

水の入ったコップが運ばれてきた。それをゆっくり飲んでいるうちに、顔色がしだいにもとにもどってきた。

「わたしを？」ダウンズ氏は言った。「なぜわたしが狙われるんですか」

「どうやらそういうことみたいですね」クローム警部が言った。「じっさい、それがたったひとつの説明になりそうです」

「つまりその男は――その――その悪党は――その血なまぐさい狂人は、わたしをつけてきて、機会をうかがっていたというんですか」

「そういうことだと言わざるをえないでしょうな」

「だが、いったいどうして。なぜわたしなんです！」憤然とした教師は詰問した。

クローム警部は〝なぜあなたじゃいけないんです〟と言いたくなる誘惑と闘い、こう答えるにとどめた。「頭のいかれた人間が何をしようと、理由を求めてもしかたがないでしょう」

「なんてことだ」ダウンズ氏は冷静になり、ささやき声で言った。

ダウンズ氏は椅子から立ちあがった。急に老けこんでしまい、ひどく動揺しているように見えた。

「もう用がすんだのでしたら、みなさん、家に帰らせていただきます。気分が――気分があまりよくないので」

「いいですとも、ダウンズさん。警官に送らせます――無事にお宅へもどれるように」

「いや――いや、けっこうです。ありがとう。それには及びません」

「よろしいように」アンダースン大佐はぶっきらぼうに言った。

目を横に向け、それとなく警部の意見を尋ねた。警部は同じようにそれとなくうなずいた。

ダウンズ氏はおぼつかない足取りで出ていった。

「気づかなくてよかったのかもしれないな」アンダースン大佐が言った。「二人ほどつけるんだろうな、え？」

「はい。ライス警部が手配しました。家を見張らせます」

「では」ポアロが言った。「ＡＢＣが間違いに気づいたら、また狙うと考えておいでですか」

アンダースン大佐はうなずいた。

「その可能性はある」と彼は言った。「几帳面なタイプらしいですからな、ＡＢＣは。計画どおりにいかなかったと知ったら、さぞかしあわてることでしょう」

ポアロは考え深げにうなずいた。

「人相がわかるといいんですがね」アンダースン大佐がいらだたしげに言った。「われわれは相変わらず暗闇のなかにいる」

「いずれわかるでしょう」ポアロが言った。

「そう思いますか。そう、可能性はある。まったく、まともな目がついてる人間はいないのかね」

「もう少しの辛抱です」ポアロが言った。

「ずいぶん自信がおありのようですな、ムッシュー・ポアロ。そんなに楽天的になるには理由がおありですか」

「ええ、アンダースン大佐。これまで殺人者は間違いをしなかった。ですから、もうじき間違いをするにきまってます」

「あてにできるのがそれだけなら」警察本部長は鼻を鳴らして言いはじめたが、すぐにさえぎられた。

「〈ブラック・スワン〉のボールさんが、若い女性とおいでになりました。お役に立ちそうなことをお話しできると言ってます」

「通しなさい。通しなさい。役に立つことならなんでもいい」

〈ブラック・スワン〉のボール氏は図体が大きく、頭の働きが鈍い、どたどたと動く男だった。ビールの臭いをむっとするほど漂わせていた。一緒にいるのは丸い目の、ぽっちゃりした若い女で、あきらかにひどい興奮状態だった。

「お邪魔になるとか、貴重な時間を無駄にしているのでなければいいんですが」ボール氏は太い、のろのろした声で言った。「ですが、この娘《こ》が、このメアリが、お知らせしておきたいと言うものですから」

メアリはくすくす笑ったが、やや上の空だった。

「そうですか、お嬢さん、どういうことですかな」アンダースン大佐が言った。「お名前をうかがいましょう」

「メアリです、メアリ・ストラウドです」

「そうですか、メアリ。話してください」

メアリは丸い目を雇い主のほうに向けた。

「お湯を紳士がたの部屋に運ぶのがこの娘の仕事なんです」ボール氏が助け船をだした。「うちには六人ほどの紳士がたが滞在しています。競馬を見るためだったり、商売のためだったり」

「ふむ、それで？」アンダースン大佐がせっかちに言った。

「話しなさい、メアリ」ボール氏が言った。「おまえの話をするんだ。怖がることは何もないからね」

メアリはあえぎ声をもらし、うめき、息を切らしながら話しはじめた。

「ドアをノックしたけど、答えがなかったので、ふつうは入っていったりしないんですよ、お客さまが『お入り』って言わなければですけど、でもあのお客さんが何も言わなかったもんで、あたしは入っていったんですけど、すると、お客さんは手を洗ってたんです」

メアリは言葉を切って深く息を吸いこんだ。

「つづけて」アンダースンが言った。

メアリはちらっと横の雇い主に目を向け、ボール氏がゆっくりうなずくとそこから霊感を得たように、また話に飛びこんでいった。

『お湯をおもちしました』ってあたしは言ったんです、『ちゃんとノックしましたよ』って言ったけど、でも『ああ、冷たい水で洗っちゃったよ』ってお客さんが言うもんで、それであたしは自然に洗面器を見たんですけど、そしたら、どうでしょう！　神さまお助けを！　水が真っ赤に、い、い、い、なってたんです！」

「真っ赤だって？」アンダースン大佐が鋭い声で言った。

ボール氏が口をはさんだ。

「この娘の話だと、その客は上着を脱いで、片方の袖をつかんでたっけが、じっとり濡れてたんだそうです——そうだね、メアリ？」

「はい、そうです。そのとおりです」

メアリはさらにつづけた。

「それに顔がとてもへんで、すごくへんな顔だったもんで、あたし、ぎょっとしちゃいました」

「それはいつのことだった？」アンダースンは鋭く言った。

「五時十五分すぎごろです、そのくらいでした」

「三時間以上も前じゃないか」アンダースン大佐がぶっきらぼうに言った。「どうしてすぐにこなかったんだ」

「この娘からすぐ聞いたわけじゃないからです」ボール氏が言った。「また殺人があったってニュースを聞いたからです。そのとき、この娘が金切り声で、洗面器のなかに見えたのは血だったかもしれないって叫んだもんで、いったいどういうことかって訊くと、話してくれたんです。それで、どうもあやしいと思えたので、自分で三階へあがってみたんです。部屋はもぬけのからだった。そこで何人かに質問してみると、中庭にいた若い男の一人が、こそこそ出ていく男を見かけたというし、人相がぴったりするみたいでした。だから女房に、このメアリを警察にいかせたほうがいい、と言ったけど、いやがったんでさ、このメアリは。それで一緒についてってやるから、と言ったんです」

クローム警部が、一枚の紙を引き寄せた。

「その男の人相を話してください」彼は言った。「できるだけ手短に。一刻も無駄にできないんだ」

「中肉中背です」メアリが言った。「猫背で、眼鏡をかけてます」

「服装は?」

「黒っぽい背広を着て中折れ帽をかぶってます。かなりみすぼらしいって感じです」

それ以外にメアリにつけ加えられることはほとんどなかった。

クローム警部はむりに問いただそうとしなかった。電話があわただしくあちこちにかけられたが、警部も警察本部長もあまり楽観的ではなかった。

クローム警部はその男が中庭をこそこそ通っていったとき、バッグもスーツケースももっていなかったという事実を聞きだした。

「そこにチャンスがあるな」と彼は言った。

二人の警官が〈ブラック・スワン〉へ派遣された。

ボール氏は誇らしさと、重要人物になったような気分とで身体をふくらませ、メアリはやや涙ぐんで、二人の警官と一緒にもどっていった。

十分後に部長刑事が帰ってきた。

「宿帳をもってきました」と彼は言った。「ここにサインがあります」

わたしたちはそのまわりにあつまった。署名は小さく、ごちゃごちゃにかたまっていた――容易には判読できない。

「A・B・ケース――それともキャッシュかな」アンダースン大佐が言った。

「どちらにしても、頭文字はABCになるな」クロームが意味深長に言った。

「荷物はどうだった？」アンダースン大佐が訊いた。

「大きなスーツケースが一個です。ボール紙の小さな箱がいっぱいつまってました」

「箱？　なかに何が入ってるんだ？」

「ストッキングです。シルクのストッキングです」

クロームがポアロのほうを向いた。

「おめでとう」彼は言った。「あなたの勘があたった」

28　ヘイスティングズ大尉の記述ではない

クローム警部は警視庁の自分のオフィスにいた。

デスクの電話がつつましく鳴りはじめ、彼は受話器をとった。

「ジェイコブズです、警部。若い男がきてますが、話を聞かれたほうがいいと思います」

クローム警部はため息をついた。このところ、毎日およそ二十人ほどがＡＢＣ事件に関する重要な情報があると称してやってくる。そのうち何人かは、頭のおかしい人畜無害な連中であり、何人かは自分の情報が貴重なものだと本気で思いこんでいる善意の人々だ。ジェイコブズ部長刑事はいわば人間のふるいとなり、関係のなさそうなものをふるい落とし、残りを上司に届ける役目を果たしている。

「よろしい、ジェイコブズ」クローム警部は言った。「通しなさい」

数分後、警部のオフィスのドアにノックの音がして、ジェイコブズ部長刑事が姿をあらわし、長身の、かなり男前の青年を招じ入れた。

「トム・ハーティガンさんです、警部。ABC事件とおそらく関係があると思われることを話してくれるそうです」

警部は感じのいい態度で立ちあがり、握手した。

「おはようございます、ハーティガンさん。どうぞお座りください。煙草は？ 煙草をお吸いになりますか」

トム・ハーティガンはおずおずと腰をおろし、心のなかで「お偉方」だとみなしている相手を、畏敬の目で見つめた。警部の外見になんとはなしにがっかりした。なんだ、ごく平凡な人間じゃないか！

「それでは」クローム警部は言った。「事件と関係があると考えておられることがあるんですね。どうぞ、話してください」

トムはそわそわしながら話しはじめた。

「もちろん、なんでもないことかもしれません。ぼくが勝手に重要だと思っただけで。お手間をとらせるだけかもしれないんです」

またしてもクローム警部はそれとさとられないほどのため息をついた。人々の気持ちをほぐすためについやす無駄な時間がどれほど多いことか！

「それはわたしたちがちゃんと判断しますよ。ご存知のことを話してください、ハーティガンさん」

「それはですね、こうなんです、警部さん。ぼくはある若い女性とつきあってて、彼女の母親が下宿屋をやってるんです。キャムデン・タウンの北のほうで。三階の裏の部屋を、一年以上になりますが、カストという男に貸しています」

「カストですか──え？」

「そうです。中年の、あまり目立たない、気の弱そうな男で──ちょっとうらぶれてる、と言えるような。いわば、ハエも殺さないというタイプで──ふつうなら、何かおかしなことがあるなんて夢にも思わないんですが、ちょっと奇妙なことがあったもので」

そこからややもたつきながら、一、二回、同じことをくりかえし、ユーストン駅でカスト氏に会ったことや、切符をひろったことを話した。

「ねえ、警部さん、どういうふうに考えてもへんなんですよ。リリーは──ぼくがつきあってる女性ですが──カストはたしかにチェルトナムへいくと言った、と自信たっぷりだし、母親も同じことを言ってます──カストが出かけたその朝、そう聞いたとはっきり記憶してるんです。もちろん、そのときはぼくもあまり注意をはらいませんでした。リリーは──ぼくがつきあってる女性は、彼がドンカスターへいってABCのやつにやられなければいいなんて言ってたし——それから、この前の殺しがあったときに彼がチャーストンへいってたのは偶然だったと言いました。ぼくは笑いながら、その前にはベクスヒルにいってたんじゃないかって訊くと、彼女はどこにいってたか知らないけれど海辺だったと言いました——それはたしかだと言うんです。それでぼくは、彼がＡＢＣ本人だったらどうだろうね、と言い、彼女はかわいそうなカストさんはハエだって殺せない人よ、と言いました——そのときはそれで話が終わったんです。もうそのことは考えませんでした。でも、ある意味では、ぼくは頭のどこかで考えてたんだと思います。そのカストという男のことを不審に思いはじめ、外見は無害そうに見えても、頭のいかれたやつかもしれないと考えるようになったんです」

トムはひと息ついてから、またつづけた。クローム警部はいまや真剣に聞いていた。

「それからドンカスターで殺人が起こり、どの新聞にも、Ａ・Ｂ・ケースかキャッシュなる人物の行方について情報を求めるという記事が載り、人相も書かれてたんですが、それがぴったりだったんです。最初の夜に、仕事が終わってからぼくはリリーのところへいって、カストさんの頭文字は何かと尋ねました。最初、彼女は思い出せなかったんですけど、母親が覚えてました。Ａ・Ｂだと言うんです。それからぼくたちは頭を寄せあつめ、カストが最初の殺人事件のときアンドーヴァーへいってたかどうか思い出そうとします。でも、おわかりのように、三ヵ月前のことを思い出そうとするのは、あまり簡単なことじゃありません。けっこうむずかしかったんですけど、最後にはつきとめました。じつはリリーの母親のマーベリ夫人はカナダにバート・スミスという弟さんがいるんですが、その人が六月二十一日に会いにきたんです。突然のことだったので何も用意してなかったんですが、マーベリ夫人が泊めたいと思ったところ、リリーがカストさんは留守だから、彼のベッドをバート・スミスに使ってもらえばいいんじゃないかと提案したんです。でもマーベリ夫人は同意しませんでした。下宿人にたいして正しいことじゃない、下宿人にはいつも公平で正しくふるまいたいと言ったそうです。でもとにかく、ぼくたちは問題の日付をうまくたしかめることができました、バート・スミスの船がその日サウサンプトンに入港したからです」

クローム警部は熱心に耳を傾け、ときどきメモをとった。

「それでぜんぶですか」彼は訊いた。

「ぜんぶです、警部さん。何もないのに大げさに話しているとお考えにならなければいいんですが」

トムはかすかに顔を赤らめた。

「とんでもない。よく話しにきてくれました。もちろん、ごくささやかな証拠にすぎません——日付は偶然の一致かもしれないし、名前が似ていることもそうです。でも、これでカスト氏から聞き取りをしなければならないでしょう。カスト氏はいま下宿にいるんですか」

「ええ、そうです」

「いつ帰宅したんですか」

「ドンカスターで殺人があった日の夜です」

「それいらい何をしていますか」

「たいてい家にこもってます。ようすがとてもへんだとマーベリ夫人が言ってます。新聞をたくさん買うんです——朝早く出ていって、朝刊を買いこみ、暗くなるとまた出ていって、夕刊を買いこんでくるんです。マーベリ夫人は、彼がいつも何事かぶつぶつぶやいていると言ってます。ますますようすがおかしくなっている、と考えています」

「そのマーベリ夫人の住所は？」

トムは住所をおしえた。

「ありがとう。たぶん、きょうのうちに訪ねます。言うまでもないですが、そのカストという男に会ったら、けどられないようにさりげなくふるまってください」

警部は立ちあがり、握手した。

「ここへいらしたのは正しいことでしたから、満足なさっていいですよ、さようなら、ハーティガンさん」

「どうでしたか、警部」数分後、またオフィスにもどってきたジェイコブズが訊いた。

「いい情報だと思われますか」

「有望だな」クローム警部は言った。「事実が、あの青年が述べたとおりならだがね。ストッキング製造業者たちにあたったところでは何もわからなかった。そろそろ何か手がかりをつかんでもいい時期だ。ところで、チャーストン事件のファイルをもってきてくれないか」

警部は数分かけて探しているものを見つけた。

「ああ、ここにあった。トーキイ警察の供述書のなかにある。ヒルという名前の青年だ。トーキイ劇場で《一羽の雀も》が終わって出るとき、妙なようすの男に気づいたとある。独り言を言ってたそうだ。ヒルの話では、『それも一つの考えだ』と聞こえた。《一羽の雀も》というのは、ドンカスターのリーガル劇場でやってた映画じゃないかね？」

「はい、そうです」

「そのことに何か意味があるのかもしれない。そのときは何もないように思えた――だが、そのとき、容疑者は次の犯罪の手口を思いついたのかもしれんな。ふむ、ヒルの名前と住所があるな。その男の人相について、ヒルの証言は漠然としているが、メアリ・ストラウドとトム・ハーティガンが述べた人相とかなり似ている……」

　警部は考え深げにうなずいた。

「だんだんホシに近づいてきた《ウォーム》な」とクローム警部は言ったが――これは正確な言い回しではない。なぜなら警部は温《ウォーム》かくはなく、つねにやや冷たいところがあるからだ。

「どういたしましょうか、警部」

「二人ほど派遣して、このキャムデン・タウンの住所を見張らせろ、だが、鳥が脅えて逃げだしてはまずい。副総監と相談しなければならんな。それからカストをここに連れてきて、自供するかどうかみてみよう。すぐにも泥をはきそうだ」

　外ではトム・ハーティガンが、テムズ河岸通りで彼を待っていたリリー・マーベリと落ち合った。

「うまくいった、トム？」

　トムはうなずいた。

「クローム警部本人に会えたよ。この事件の担当者だ」

「どんな人？」

「ちょっともの静かで、もったいぶってるな――ぼくが考えてる刑事のイメージとはちがう」

「それはトレンチャード卿の新しい刑事たちよ」リリーが敬意のこもる口調で言った。

「なかにはすごく偉そうな人もいるわ。で、警部さんはなんて言ったの？」

トムは警部との話を短くまとめた。

「じゃあ、警察はほんとうにあの人が犯人だと思ってるの？」

「かもしれないと考えてる。とにかく、警察がやってきて、彼に一つ二つ質問するだろうな」

「かわいそうなカストさん」

「かわいそうなカストさんなんて言うもんじゃないよ、きみ。彼がＡＢＣなら、四人も殺してるんだぞ」

リリーはため息をついて頭をふった。

「ひどいことね」と彼女は言った。

「ねえ、きみ、一緒にランチを食べにいこうよ。考えてごらん、ぼくたちが思ったとおりなら、ぼくの名前が新聞に載るんだ！」

「まあ、トム。そうなるかしら？」

「たぶんね。それにきみの名前も。それからお母さんの名前も。それにきみの写真が載るかもしれない」

「まあ、トム」リリーはうっとりしてトムの腕をぎゅっとつかんだ。

「ところで、〈コーナー・ハウス〉で何か食べるのはどう？」

リリーは腕をつかむ手に力をこめた。

「じゃあいこう！」

「いいわ――ちょっと待ってね。駅から電話をかけなくちゃならないから」

「誰に？」

「あたしが会う予定だった女友だちよ」

リリーは道路をわたり、三分後に顔をかなりほてらせてもどってきた。

「さあ、いきましょ、トム」

リリーは腕をトムの腕にからませた。

「警視庁のことをもっと話して。もう一人の人にそこで会わなかったの？」

「もう一人って？」

「ベルギーの紳士よ。ＡＢＣがいつも手紙を書く相手の人」

「うん、いなかったな」

「そう、ぜんぶ話して。なかに入ったとき、どうだった？　誰に、何を話したの？」

カスト氏はそっと受話器をおいた。

好奇心をありありと見せて戸口に立っているマーベリ夫人に目を向けた。

「電話がかかってくるなんて、めったにないことですよね、カストさん?」

「ええ――まあ――そうです、マーベリさん。めったにありません」

「悪い知らせじゃないんでしょう?」

「ええ――ええ」この女はしつこいな。彼の目が腕にかかえている新聞に落ちた。

誕生――結婚――死亡記事……。

「妹に男の子が産まれたんです」彼は口走った。

彼には――姉も妹もいないのに!

「あらまあ! そう――それはすばらしいですね、ほんとに(『妹がいるなんて、これまで一度も言ってないじゃないの』というのが心のなかの声だった。『男なんてこんなものよ!』)。びっくりしましたよ、ほんとに。電話をかけてきた女の人が、カストさんと話したいと言ったときはね。最初はうちのリリーの声かと思ったんです――あの娘の声に似てたから――でも、もっとお高くとまってたわね――あたしの言いたいこと、わかります?――つんとしてるような感じで。まあ、カストさん、おめでとうございます、ほんとに。最初の甥御さん？　それともほかに甥御さんや姪御さんがいるんですか」

「たった一人だけです」カスト氏は言った。「後にも先にもたった一人の甥です——そのう——もう出かけなくては。あっちで、わたしがいくのを待ってるので。わたしは——急げば列車に間に合いそうだ」

「長いあいだお留守になさいますか、カストさん」階段を駆けあがる彼の後ろから、マーベリ夫人が叫びかけた。

「いえ、いえ——二日か三日です——せいぜい」

カスト氏は自分の部屋に姿を消した。マーベリ夫人はキッチンにもどり、しんみりして「かわいいちびのお友だち」のことを考えた。

ふいに良心がちくっと痛んだ。

ゆうべ、トムとリリーと一緒に、日付を調べた！　カスト氏がおぞましい怪物のABCなのかどうかたしかめようとした。頭文字が同じで、一つ二つおかしな偶然があるというだけなのに。

「あの子たちは本気じゃなかったはずよ」マーベリ夫人は考えて気が楽になった。「いまごろは、恥ずかしく思ってくれてればいいんだけど」

マーベリ夫人には説明できないが、妹に赤ん坊が産まれたというカスト氏の言葉が、下宿人の正体についてマーベリ夫人の心のなかにあった疑念を、きれいさっぱりとりのぞいたようだった。

「難産じゃなかったんならいいけど」マーベリ夫人は、リリーのシルクのスリップにアイロンをかける前に、頬に近づけて温度をたしかめようとした。

マーベリ夫人は頭のなかで、自分がよく知っているお産の経過について心地よく考えていた。

カスト氏が鞄を手にもって、そっと階段を降りてきた。目が電話にちょっととまった。さきほどの短い会話が頭のなかでこだました。

〝あなたですか、カストさん。お知らせしておいたほうがいいと思うんだけど、警視庁の警部さんが、そちらへ会いにいくかもしれません……〟

あのとき自分はなんと答えたのだろう。思い出せなかった。

〝ありがとう――ありがとう……ご親切にどうも……〟

たぶん、そんなことを言ったのだろう。

なぜ電話してくれたのだろう。何か推測したのだろうか。それとも警部がくるまで彼を家に引きとめておこうと考えたのだろうか。

だが、警部がくることを彼女はどうして知ったのだろう。

そして彼女の声——母親に気づかれないように、つくり声で話した……。

まるで——まるで——彼女は知っているみたいだ……。

だが、もし知っていれば、電話してこないだろう……。

だが、するかもしれない。女性というものはとても奇妙だ。思いがけないときに残酷になったり、思いがけないときに親切になったりする。以前、リリーがねずみ取りからねずみを逃がしてやるところを見たことがある。

やさしい娘だ……。

やさしい、きれいな娘だ……。

傘やコートがかかっているホール・スタンドのところで足をとめた。

どうしようか……？

キッチンでかすかな音がしたので、それが彼に決心させた……。

いや、いまは時間がない……。

マーベリ夫人が出てくるかもしれない……。

カスト氏は玄関のドアをあけ、外に出てから閉めた……。

どこへ……？

29 警視庁で

会議がはじまった。

副総監とクローム警部とポアロ、それにわたしだ。

副総監が言った。

「いい助言でしたよ、ムッシュー・ポアロ、ストッキングの大量注文を調べるというのは」

ポアロは両手をひろげた。

「見当がついたんですよ。この男は正規の外交員であるはずがない。注文をとるのではなくて、ストッキングの行商をしてたんです」

「これまでのところ、すべてあきらかになったかね、警部」

「そう思います」クローム警部はファイルをたしかめた。「これまでの状況を説明いたしましょうか」

「うむ、頼む」

「わたしはチャーストン、ペイントン、トーキイにたしかめました。容疑者が訪れて、ストッキングを売ろうとした人々のリストを手に入れました。彼は徹底的にやっていたと言わざるをえません。トーレイ駅の近くにある〈ピット〉という小さなホテルに泊まってました。殺人の夜は十時半にホテルにもどっています。チャーストン発九時五十七分の列車に乗れたでしょう。それなら十時二十分にトーレイ駅に到着します。彼の人相に合う人間は列車でも駅でも目撃されていませんが、その金曜日はダートマス・レガッタの日でしたから、キングズウェアからもどってくる列車は満員だったんです。

ベクスヒルも同じようなものです。本名で〈グローブ〉に泊まってました。十二軒ほどの家をまわってストッキングを売っていますが、そのなかにはバーナード夫人が入ってますし、〈ジンジャー・キャット〉も入ってます。夕方早くホテルを引きはらいました。翌朝十一時半ごろ、ロンドンにもどっています。アンドーヴァーでも同じような行動が見られました。〈フェザーズ〉に泊まって、アッシャー夫人の隣人のファウラー夫人や、同じ通りのほかの五、六人の住人にストッキングを売っています。アッシャー夫人が買ったストッキングは姪から（ドラウアーという名前です）手に入れましたが――カストが売り歩いているものと同じです」

「そこまではいいようだな」副総監が言った。

「入ってきた情報にもとづき」警部は言った。「わたしはハーティガンから聞いた住所にいってみましたが、カストは三十分ほど前に家を出たあとでした。電話で連絡を受けていたそうです。彼に電話がかかってきたのははじめてだ、と下宿の女主人が言ってました」

「仲間がいるのだろうか」副総監が言った。

「いないでしょうね」ポアロが言った。「奇妙なことです――ことによると――」

ポアロは口ごもり、わたしたちはその先を待って彼を見つめた。

だが、ポアロが頭をふったので、警部がさらにつづけた。

「彼がいた部屋を徹底的に捜索しました。その結果、疑問の余地はなくなりました。例の手紙が書かれたものによく似た便箋を発見しましたし、棚には大量のストッキングがしまってあり――その奥には――大きさも形も同じような包みがあったんですが、中身はストッキングではなく――ＡＢＣ鉄道案内が八冊入ってました！」

「確固たる証拠だな」副総監が言った。

「ほかにも発見されたものがあります」警部は言った――声が突然、勝ち誇ったように人間くさくなった。「今朝のことなので、ご報告する時間がまだありませんでした。その男の部屋にはナイフは影も形もなかったのですが――」

「もち帰るなんて愚の骨頂ですからな」ポアロが言った。

「つまるところ、彼の頭はまともじゃありませんからね」警部が言った。「とにかく、彼がナイフを自宅にもち帰り、それを部屋に隠しておく危険に（ムッシュー・ポアロが指摘なさったとおり）気づいて、どこかほかに隠し場所を探したかもしれないと思いつきました。その場合、家のどこを選んだでしょうか。わたしはすぐに思いました。ホール・スタンドだ――ホール・スタンドを動かす者はいません。えらく苦労しましたが、壁からようやく動かしました――するとどうでしょう、そこにあったんです！」

「ナイフが？」

「ナイフが。間違いありません。乾いた血がまだこびりついていました」

「よくやった、クローム」副総監が好もしげに言った。「これで残るのは一つだけだな」

「なんですか」

「容疑者自身だ」

「捕まえますよ。ご心配なく」

警部の口調は確信がこもっていた。

「あなたのご意見は、ムッシュー・ポアロ」

ポアロは白昼夢からはっと目覚めた。

「いまなんと?」

「容疑者を捕まえるのは時間の問題だと言っていたところです。どうですか」

「ああ、そのことですか――はい。疑問の余地なく」

上の空という口調だったので、ほかの全員が好奇心にかられた目を彼に向けた。

「なにか気がかりなことでもおありですか、ムッシュー・ポアロ」

「ひどく気にかかることがあります。なぜか、ということです。動機ですよ」

「しかし、あなた、問題の男は正気じゃないんですよ」副総監は気短に言った。

「ムッシュー・ポアロがおっしゃりたいことはわかります」クローム警部が恩着せがましくポアロに救いの手をさしのべた。「ムッシュー・ポアロは正しい。何か明確な強迫観念があるはずです。問題の根っこは強烈な劣等感にあるのではないかと思います。それに被害妄想もあるでしょうし、そうであれば、ムッシュー・ポアロをそれと結びつけているかもしれません。ムッシュー・ポアロは彼を追いつめる目的で雇われた探偵だ、という妄想を抱いていたのかもしれません」

「ふむ」副総監が言った。「いまどきのはやり言葉だな。わたしの時代には、頭のいかれたやつは、いかれたやつであり、それを和らげようとして科学的な専門用語をあてはめようとしなかった。とことん現代的な医者ときたら、ABCみたいなやつを療養所に入れろと提案し、四十五日のあいだ、おまえはいいやつだと言い聞かせ、それから社会の責任ある一員になったとして釈放するんだ」

ポアロは笑みを浮かべたが、何も言わなかった。

会議はおひらきになった。

「では」副総監は言った。「きみが言うように、クローム、逮捕は時間の問題だな」

「もうとっくに捕まえていたはずなんです」警部が言った。「そんなにありふれた人間に見えなければ。おかげで、われわれは罪のない市民にずいぶん迷惑をかけてしまいました」

「いまこの瞬間、やつはどこにいるのだろうな」副総監がいぶかるように言った。

30 ヘイスティングズ大尉の記述ではない

カスト氏は八百屋の店先に立っていた。
道路の反対側を見つめていた。
そう、そこにあった。
アッシャー夫人。新聞・煙草販売店……
からのウィンドーに看板が出ていた。
貸家。
からっぽだ……。
人の気配がない……。
「すいませんね、だんなさん」
八百屋のおかみさんが、レモンをとろうとした。
カスト氏はあやまり、わきにどいた。

足を引きずりながらのろのろと――街のメインストリートへもどっていった……。

まずい――ひどくまずい――もう金が底をついてしまった……。

一日じゅう何も食べていないせいで、自分の身体ではないような妙な感じがして、頭がふわふわする……。

新聞販売店の外にあるポスターが目にとまった。

ABC殺人事件。殺人者はいまだに野放し。ムッシュー・エルキュール・ポアロのインタビュー。

カスト氏は独り言を言った。

「エルキュール・ポアロか。彼は知っているのだろうか……」

また歩きつづけた。

じっと立ちどまってポスターをにらみつけていてもはじまらない……。

カスト氏は思った。

「もうそんなにもたない……」

片足を前にだし、もう一方をその前にだす……歩くって、なんて妙なことなんだろう……。

片足を前にだし、もう一方をその前にだす――バカげている。

ひどくバカげている……。

だが、とにかく人間というのはバカげた動物なんだ……。

そして彼、アレグザンダー・ボナパート・カストは、とりわけバカげている。

これまでずっとそうだった……。

人々はいつも彼のことを嘲笑った……。

彼らが悪いわけではない……。

どこへいこうとしているのだろう。彼にはわからなかった。終わりになりかけていた。

いまはもう、見ているのは足元だけだった。

片足を前にだし、もう一方をその前にだす。

目をあげた。すぐ前に灯りがついていた。そして文字が……。

警察署。

「滑稽だな」カスト氏は言った。くっくっと少し笑った。

それからなかに入った。そのとたん、身体がふらふらして、前のめりに倒れた。

31　エルキュール・ポアロ、質問をする

　十一月の冴え冴えと晴れわたった日だった。トンプスン博士とジャップ警部がやってきて、アレグザンダー・ボナパート・カストの事件をめぐる予備審問手続きの結果をポアロに知らせた。

　ポアロは軽い気管支炎にかかり、出席することができなかった。さいわい、彼はわたしに一緒に家にいてくれと強要することはなかった。

「公判に付されることになりました」ジャップが言った。「これで一件落着です」

「珍しいことじゃないですか」わたしは尋ねた。「この段階で弁護の方針があきらかにされるのは。被告人側はつねに弁護の方針を伏せておくものでしょう」

「珍しいわけじゃありません」ジャップが言った。「若いルーカスが強引にやってのけられると踏んだんでしょう。思いきってやる男ですからね。弁護側としては、精神異常を申し立てるしかないんです」

ポアロは肩をすくめた。

「精神異常の場合は釈放されることはない。無期限に収監されているというのは、死刑より好ましいとは言いがたいですね」

「ルーカスはチャンスありと見たんでしょうな」ジャップが言った。「ベクスヒル殺人事件には第一級のアリバイがあるので、事件全体の根拠が弱くなる。われわれがどれだけ証拠固めをしているか、わかってないんじゃないですか。とにかく、ルーカスは独自の方法をとるでしょう。なにしろ若いし、脚光を浴びたくてうずうずしていますからね」

ポアロはトンプスン博士のほうを向いた。

「先生のご意見はどうですか、博士？」

「カストについてですか？　ほんとうのところ、何を言えばいいのかわかりませんな。彼は正気の人間を演じるのがじつにうまい。発作を起こす患者ですがね、もちろん」

「まったく、驚くべき結末でしたね」わたしは言った。

「彼がアンドーヴァーの警察署へ入ったとたんに発作を起こしたことですか。ええ──あれはこのドラマにふさわしい劇的な幕切れでした。ＡＢＣはいつだって効果を充分にはかっていましたからね」

「犯罪を犯しながら、それに気づいていないということはありうるんですか」わたしは訊いた。「あの男の否認には、真実のひびきがあるように思えるのですが」

トンプスン博士はかすかな微笑を浮かべた。

「あのお芝居を真に受けてはいけませんよ。『神さまに誓って』というあのポーズにはね。わたしの意見では、あのカストという男は、自分が殺人をしたことを完全に知っています」

「あれほど夢中になって否定するときは、ふつうそういうものです」ジャップが言った。

「ご質問についてですが」トンプスン博士がつづけた。「夢遊状態の発作を起こす患者が、ある行動をしたのにそれにまったく気づかない、ということは充分にありえます。でも一般的な考え方としては、そのような行動は『目覚めている状態のその人間の意志に反するものではない』ということなのです」

トンプスン博士はその問題を論じつづけ、意識消失を伴う大発作と小発作について語ったので、正直なところ、教養ある人物が専門分野について述べたてているときはよくあることだが、わたしは頭が混乱してしまった。

「しかしながら、自分が何をしているのかわからずにカストがこれらの犯罪をやってのけたという説には反対です。あの手紙がなければ、そういう主張をすることもできるでしょう。だが、あの手紙がそういう説を頭からつぶしてしまう。あの手紙は犯行が前もって慎重に計画されたものであることを示しています」

「そして、その手紙についてはなんの説明もなされていないのです」ポアロが言った。

「そのことに関心がおありですか」

「当然です——わたし宛ての手紙ですからね。それに、手紙の主旨について、カストはあくまでも黙していています。あれらの手紙がなぜわたし宛てに書かれたのか、その理由がわからないかぎり、この件が解決したとは思えません」

「そうですね——あなたの立場ならそうでしょうな。あの男がどんなことであれ、あなたに敵対する気になったと思える理由はないのですか」

「何一つありません」

「申しあげてもよろしいかな。あなたの名前ですよ！」

「わたしの名前？」

「そうです。カストは母親の気まぐれで（エディプス・コンプレックスがあるのでしょうな）、二つのきわめて偉大な名前を背負わされている。アレグザンダーとボナパートです。それの内包するところがわかりますか。アレグザンダーは——世界を征服しようとし、民衆に無敵だとみなされた大王です。ボナパートは、偉大なフランスの皇帝、ナポレオン・ボナパルトです。彼は好敵手を――自分と対等の人間のなかに見いだそうとしたのです。ね、そこであなたが登場する――エルキュール、すなわち力強いヘラクレスというわけです」

「あなたのお言葉はとても示唆に富んでいますね、博士。そこからいろいろな想像が生まれます……」

「なあに、たんなる思いつきにすぎません。さて、わたしはこれで失礼しますよ」

トンプスン博士は出ていった。ジャップは残った。

「例のアリバイが気にかかっているんですか」ポアロが訊いた。

「少しばかり」とジャップ警部は認めた。「でも、信じてるわけじゃないんですよ、事実ではないとわかってますから。でもあのアリバイを破るのはむずかしいでしょうな。このストレンジという証人はしたたかですからね」

「どういう人物なのか話してください」

「年齢は四十歳。頑固で、自信たっぷりの、自分の意見をぜったいに曲げないという鉱山技師です。どうやら自分の証言を法廷で採用しろと主張しているようだ。チリへ向けて出発したがっています。この問題に早くけりがつくことを望んでいます」

「あんな自信たっぷりの人物にはめったにお目にかかれませんよ」わたしは言った。

「自分の間違いを断じて認めようとしないタイプですね」ポアロが考え深げに言った。

「自説を曲げず、質問責めにされてもびくともしません。七月二十四日の夜イーストボーンにある〈ホワイトクロス・ホテル〉でカストと知り合いになったと、断固として主張しています。寂しかったので話し相手がほしかったそうです。わたしにわかるかぎりでは、カストは理想的な聞き手になりました。口をはさもうとしなかったんです！　夕食が終わってから、彼はカストとドミノをしました。どうやらストレンジはドミノの名人らしいが、驚いたことにカストもなかなかの腕だったそうです。妙なゲームですな、ドミノというのは。みんなのめりこむんです。何時間も熱中するんですよ。どうやらストレンジとカストもそうだったらしい。カストはそろそろ寝たいと言ったが、ストレンジは聞く耳をもたず――少なくとも夜中の十二時までやりつづけようと言い張った。じっさいにそうしたんです。午前零時十分すぎにようやく別れました。だから、カストが二十五日の零時十分すぎにイーストボーンの〈ホワイトクロス・ホテル〉にいたとすれば、零時から一時のあいだにベクスヒルの海岸でベティ・バーナードの首を絞められたはずがないんです」

「その問題はたしかに克服できそうもないですね」ポアロが思案するように言った。

「あきらかに、それで考える種ができます」

「クロームにも悩みの種ができたようです」

「そのストレンジという人物は断固としているというのですね」

「ええ。頑固そのものです。それに、彼の話に欠陥を見つけるのは困難です。仮にストレンジが間違っていて、相手の男はカストではなかったとします——その場合、いったいどうしてその男はカストと名乗ったのでしょうか。それにホテルの宿帳に書かれているのはたしかにカストという名前です。共犯者とは言えません——殺人狂には共犯者などいません！　被害者の娘はそれより後に死んだのでしょうか。医者は証言に確信をもっていますし、とにかく、カストが誰にも見られずにイーストボーンのホテルを出てベクスヒルにいくにはけっこう時間がかかります——二十キロ以上離れているんですから——」

「むずかしいですね——ええ」ポアロが言った。

「もちろん、厳密に言えば、それでも問題ではないんです。われわれはドンカスター殺人事件でカストを捕まえたんですから——血痕がついた上着とナイフがあるので、彼に逃げ道はありません。いくら陪審員を脅したって、彼を無罪にすることはできません。でも、きれいにまとまった事件に疵がつくんです。彼はドンカスターで殺しをした。チャーストンで殺しをした。アンドーヴァーで殺しをした。それなら、ベクスヒルの殺人もやったにちがいないんです。でもどうやったのかがわからない！」

ジャップは首をふり、立ちあがった。

「さあ、あなたのチャンスですよ、ムッシュー・ポアロ」彼は言った。「クロームは霧のなかにいます。たびたび聞かされているあなたの脳細胞を活動させてください。カストがどういうふうにやってのけたのかおしえてください」

ジャップは帰った。

「どうなんです、ポアロ」わたしは言った。「小さな灰色の脳細胞で解決できそうですか」

ポアロはわたしの質問に答える代わりにべつの質問をした。

「ねえ、ヘイスティングズ、あなたはこの事件が終わったと思ってるんですか」

「まあ――ええ、事実上は。その男は捕まった。証拠のほとんどは手に入った。必要なのは最後の仕上げだけですよ」

ポアロは首をふった。

「事件は終わった！　事件は！　問題はあの男なんですよ、ヘイスティングズ。あの男についてすべてを知るまでは、謎は深く埋もれたままです。彼を被告人席へ送ったからといって、勝利ではありません！」

「彼についてはかなりのことがわかってます」

「なんにもわかってません！　彼がどこで生まれたのかはわかっている。戦争にいき、頭に軽傷を受け、発作のせいで除隊されたことはわかっている。マーベリ夫人のところへ二年近く前から下宿していることもわかっている。おとなしくて、引きこもりがちで――誰にも注目されない男だということも。組織的な殺人を考え、きわめて巧妙な計画をたてて実行したことも。いくつかの信じられないように愚かなへまをしたことも。慈悲も憐れみもなく、容赦なく殺したことも。それに、自分の犯罪のせいでほかの人間が責めを負うことがないようにする親切心をもちあわせていることもわかっています。容疑をかけられることなく殺したかったのなら――ほかの人間にぬれぎぬを着せるのはどれほど容易だったことか。わかりませんか、ヘイスティングズ、あの男は矛盾のかたまりなんですよ。愚かでありながらずる賢く、容赦がなく、寛大で――この二つの性格に折り合いをつける、なんらかの大きな要素があるにちがいないんです」

「まあね、彼を心理学の研究対象とみなすつもりなら」わたしは言いはじめた。

「最初からこの事件にはそれ以外の何がありましたか。わたしは手探りしていた――殺人者を知ろうとして。そしていま気づいたのです、ヘイスティングズ、あの男のことは何一つ知らないのだ！　と。わたしは暗中模索しています」

「力にたいする欲望が――」わたしは言いはじめた。

「ええ――それで多くが説明できるかもしれない……でもそれでは満足できませんね。なぜ彼はこれらの殺人をやったのか。なぜ彼はこれらの犠牲者を選んだのか――」

「アルファベット順です――」わたしは言いはじめた。

「ベクスヒルで名前がBではじまるのはベティ・バーナードだけですか。ベティ・バーナード――そのことで、ある考えがあったが……それが真実であるはずだ――真実にちがいない。だが、もしそうなら――」

ポアロはしばらく黙りこんだ。わたしは邪魔をしたくなかった。

じつを言えば、わたしは眠りこんでいたようだ。

目覚めると、ポアロの手が肩にかけられていた。

「親愛なる《モン・シェール》ヘイスティングズ」彼は温かみのこもる声で言った。「わたしの大事な天才」

突然こうもちあげられて、わたしは頭がひどく混乱してしまった。

「ほんとうです」ポアロがなおも言った。「いつも――いつも――あなたはわたしを助けてくれる――幸運をもたらしてくれるんです。霊感を与えてくれるんですよ」

「今回はどういう霊感を与えたんですか」わたしは訊いた。

「自分にいくつか問いを投げかけているとき、あなたの言葉を思い出したのです――明晰な洞察がきらめく、輝かしい言葉です。あなたはわかりきったことをずばりと言う天才だと言ったことがあるでしょう。わたしが見逃していたのは、わかりきったことだったんです」

「わたしはどんなすばらしいことを言ったんですか」わたしは尋ねた。

「すべてを水晶のように透明にしてくれるんですよ。わたしの質問すべてにたいする答えが見えました。アッシャー夫人が殺された理由（たしかに、それはずっと前にちらっと見ていたのですが）、カーマイケル・クラーク卿が殺された理由、ドンカスター殺人の理由、そして最後にきわめて重要なことですが、エルキュール・ポアロが選びだされた理由」

「どうか説明していただけませんかね」わたしは頼んだ。

「いまは駄目です。その前にまず、少々情報がほしいんです。わたしたちの特別部隊から手に入れられるでしょう。それから――それから、ある質問にたいする答えが得られたら、わたしはＡＢＣに会いにいきます。わたしたちはとうとう対面する――ＡＢＣとエルキュール・ポアロが顔を合わせる――敵同士が」

「それから？」わたしは訊いた。

「それから」ポアロは言った。「話し合います！　言っておきますがね、ヘイスティングズ――隠しごとのある人間にとって会話ほど危険なものはないんです！　話をするというのは、以前、ある老いた聡明なフランス人が言ったことですが、人間に思考させないための発明なんです。それはまた、人間が隠そうとすることを発見するための、あやまたぬ方法でもあります。人間というものは、ヘイスティングズ、会話が与えてくれる機会を利用して、自らを暴露し、自己を表現せずにはいられないものなんです。そのたびに、自分をさらけだしてしまうんです」

「カストから何を聞きだせると思ってるんですか」

エルキュール・ポアロは微笑んだ。

「嘘です」と彼は言った。「その嘘を通じて、わたしは真実を知るのです！」

32　そして狐をつかまえろ

それからの数日間、ポアロは多忙をきわめた。どこかへ姿をくらまし、口数が少なくなり、眉をひそめ、わたしが以前示したと彼が言う輝かしい洞察とはいったいなんなのか、当然ながら好奇心を燃やして尋ねても、いっこうに答えようとしなかった。どこへともなく出かけてまたもどってくるが、ちっとも誘ってくれないので――わたしとしてはあまりおもしろくなかった。

だが、その週の終わり近くなってから、彼はベクスヒルとその近郊へいくので、一緒にどうかと言ってくれた。言うまでもないが、わたしはいそいそと同意した。

彼が声をかけたのは、わたしだけではないことが判明した。われらが特別部隊の面々も誘われたのだ。

彼らはわたしと同じように好奇心をそそられていた。それでも、その日の終わりには、ポアロの思考がどちらに向かっているのか、およその見当をつけることができた。

彼はまずバーナード夫妻を訪れ、夫人からカスト氏が何時に彼女の家にやってきて、何を言ったのか、正確な説明を聞いた。それから、カストが泊まったホテルへいき、彼が引きはらったときのようすについて、事細かに話を聞いた。わたしに判断できるかぎりでは、その質問から新しい事実が引きだせたわけではないが、ポアロ自身は大いに満足しているようだった。

次に彼は海岸へいった――ベティ・バーナードの遺体が発見された場所だ。ここで彼は数分というものぐるぐる円を描いてまわり、砂利を熱心に調べた。わたしにはあまり意味のないことのように思えた、というのも、毎日二回満ち潮になるたびに、波がそのあたりの砂利を洗っていくからだ。

それでも長いつきあいから、ポアロの行動が――たとえ意味のないことのように見えても――ふつうはなんらかの考えに裏づけられたものであることを学んでいた。

ポアロはそのあと、海岸から最短距離にある、車を駐車できる場所まで歩いた。そこからまた、ベクスヒル発イーストボーン行きのバスの停留所までいった。

ようやく彼はわたしたち全員を、〈ジンジャー・キャット〉カフェに連れていき、そこで一同はぽっちゃりしたウェイトレスのミリー・ヒグリーが運んできてくれたなまぬるいお茶を飲んだ。

ポアロはいともなめらかなフランス風のやり方で、彼女のくるぶしをほめた。

「イギリス人の脚は——ちょっと細すぎるんですよ！　でも、あなたの場合は、マドモワゼル、完璧な脚だ。いい形をしている——くるぶしがある！」

ミリー・ヒグリーはくすくす笑いつづけ、もうそんなふうに言うのはやめてくださいと言った。あたし、フランスの紳士のことは知ってますから。

ポアロは自分の国籍について彼女の勘違いを正そうとしなかった。そればかりか、いかにも気のありそうな目つきで彼女を見たので、わたしはびっくりしただけでなく、ショックを受けそうになった。

「これでよし《ヴォワラ》」ポアロは言った。「ベクスヒルはこれで終わりです。これからイーストボーンへいきます。そこでちょっとした質問をして——それで終わりです。みなさんに一緒にきていただくまでもありません。それまで、ひとまずホテルへもどって、カクテルをやりましょう。あのカールトン・ティーは、ひどいしろものでしたな！」

わたしたちがカクテルを飲んでいるとき、フランクリン・クラークが好奇心たっぷりに尋ねた。

「あなたが何をねらっているのか、見当がつけられると思いますよ。あなたはあのアリバイを破ろうとしてるんだ。でも、なぜそんなにご機嫌なのかわからないな。新しい事実は何も出てこなかったのに」

「ええ――そのとおりですね」

「それじゃ、どうして？」

「辛抱してください。何もかも整理がつきますよ、時間がたてばね」

「でもとにかく、あなたはとても満足しておられるようだ」

「これまでのところ、わたしのささやかな考えと矛盾するものは出てきませんでしたからね、だからですよ」

ポアロの顔が真剣になった。

「友人のヘイスティングズが話してくれたことがあるんですが、彼は若いころ、『真実』というゲームをやったことがあるそうです。そのゲームでは誰もが順番に三つ質問して――二つは本当のことを答えなければならないのです。三つ目はちがいます。質問は当然ながら、きわめてぶしつけなものになります。でも、まず全員が真実を、真実のみを話すと誓うんです」

彼は言葉を切った。

「それで？」ミーガンがうながした。

「それで《エ・ビヤン》――わたしは、そのゲームをしたいんです。でも質問は三つでなくていい。一つで充分です。みなさんそれぞれに質問を一つずつ」

「もちろん」クラークがいらだたしげに言った。「われわれはなんでも答えますよ」

「ああ、でも、もう少し真剣にやりたいんです。みなさん、真実を話すと誓ってくださいますか」

彼があまり厳粛だったので、一同ははじめとまどっていたが、やがて同じように厳粛な態度になった。全員が、彼が求めたように誓った。

「よろしい《ボン》」ポアロがてきぱきした口調で言った。「はじめましょうか――」

「いいですよ、どうぞ」ソーラ・グレイが言った。

「ああ、でもレディ・ファーストですが――今回は礼儀正しさはちょっとおいて、ほかの方からはじめましょう」

ポアロはフランクリン・クラークのほうを向いた。

「では、親愛なる《モン・シェール》ムッシュー・クラーク、今年ご婦人たちがアスコットでかぶっていた帽子をどう思いますか」

フランクリン・クラークはまじまじとポアロを見つめた。

「ふざけてるんですか」

「とんでもない」

「本気でそう尋ねてるんですか」

「そうです」

クラークはにやにやした。

「では、ムッシュー・ポアロ、わたしはじっさいにはアスコットへいってないんですが、車に乗っている姿を見たところでは、アスコットの婦人の帽子は、例年よりもさらにおかしいようですね」

「奇抜でしたか？」

「とても奇抜でした」

ポアロはにっこりして、ドナルド・フレイザーのほうを向いた。

「今年はいつ休暇をとりましたか、ムッシュー？」

今度はフレイザーがまじまじと見つめた。

「休暇ですか。八月の最初の二週間です」

顔にふいにふるえが走った。その質問で、愛していた女性を失ったことを思い出したからだろうとわたしは思った。

だが、ポアロはフレイザーの答えにあまり注意をはらわなかった。ソーラ・グレイのほうを向いたとき、声にかすかな相違が聞きとれた。やや緊迫していた。ポアロの質問はずばりと、鋭かった。

「マドモワゼル、レディ・クラークが亡くなった場合、カーマイケル卿が求婚したら、あなたは結婚しましたか」

ソーラは飛びあがった。

「よくもそんな質問をしますね。これは、これは侮辱です！」

「そうかもしれません。でも、あなたは真実を話すと誓った。それで《エ・ビヤン》——イエスですか、ノーですか」

「カーマイケル卿はとても親切にしてくださいました。実の娘のように。わたくしもそう感じていました——心からの親しみと感謝です」

「申し訳ありませんが、それはイエスかノーの答えにはなりませんよ、マドモワゼル」

彼女はためらった。

「答えは、もちろん、ノーです！」

ポアロは何もコメントしなかった。

「ありがとう、マドモワゼル」

彼はミーガン・バーナードのほうを向いた。ミーガンの顔は青ざめていた。きびしい試練を前にしているように苦しそうに息をしていた。

ポアロの声が鞭を鳴らすように鋭くひびいた。

「マドモワゼル、わたしの捜査の結果がどう終わることを希望していますか。わたしが真実をあばくことを望みますか——それとも望みませんか」

ミーガンは誇らしげに頭をそびやかした。彼女の答えはほぼ確信できた。ミーガンは真実を熱狂的に求めている。

彼女の答えはきっぱりしていた——わたしは呆然となった。

「望みません！」

わたしたち全員が仰天した。ポアロは身を乗りだして、彼女の顔をしげしげと見た。

「マドモワゼル・ミーガン」彼は言った。「あなたは真実を望まないかもしれないが——たしかに《マ・フォワ》——それをはっきり言うことができる方だ！」

彼はドアのほうを向き、それから思い出したように、メアリ・ドラウアーのところへいった。

「ねえ、お嬢さん《モナンファン》、ボーイフレンドがいますか」

心配そうな顔をしていたメアリは、ぎくっとして、それから顔を赤らめた。

「まあ、ムッシュー・ポアロ。あたし——あたし——あの、よくわからないんです」

彼はにっこりした。

「それでけっこうですよ、お嬢さん《アローール・セ・ビヤン》」

ポアロはわたしたちをぐるっと見まわした。

「さあ、ヘイスティングズ。そろそろイーストボーンへいこう」

車が待っていたので、わたしたちはペヴェンシーを通ってイーストボーンへ向かう海岸道路を走った。

「質問したら答えてくれますか、ポアロ」

「いまはだめです。わたしがしていることについて、自分で結論をだしてください」

わたしは黙りこんだ。

ポアロは上機嫌らしく、何かのメロディをハミングしていた。ペヴェンシーに入ると、ポアロは車をとめて、城を見物しようと言った。

城見物のあと、また車にもどるとき、わたしたちはちょっと足をとめて、輪になった子供たちを見まもった――恰好からみて、ガイド協会の年少団員だろう。子供たちは調子外れのきんきん声で歌っていた……。

「あの子たちはなんと言ってるんですか、ヘイスティングズ。歌詞が聞きとれない」

わたしは耳を澄ました――リフレインが聞こえた。

そして狐をつかまえろ
そして狐をおりに入れ
決して逃がしちゃいけないぞ

「そして狐をつかまえろ、そして狐をおりに入れ、決して逃がしちゃいけないぞ！」ポアロはくりかえした。

ポアロの顔は突然重々しく、険しくなった。

「あれはとても恐ろしいことです、ヘイスティングズ」ポアロはちょっとのあいだ黙りこんだ。「あなたはここで狐狩りをするんですか」

「わたしはしませんよ。狐狩りをするほどのお金がありませんし。それに、このあたりではあまり狩りをやってないと思いますね」

「ことというのは、イギリスのことを言ったんです。奇妙なスポーツですね。隠れ場所で待つ――それからタリホーと叫ぶ、そうでしょう？――それから走りはじめる――野山を横切り――生け垣を越え、溝を越え――そして狐は逃げる――ときにはあともどりする――だが犬たちが――」

「ただの犬じゃない、猟犬《ハウンド》です！」

「──猟犬たちが追いかけ、さいごには捕まえ、狐は死ぬ──あっというまに、むごたらしく」

「残酷だと思えるかもしれませんが、しかしほんとうは──」

「狐が楽しんでいると言うんですか。バカなこと《レ・ベティーズ》を言わないでください。とはいえ《トゥー・ド・メーム》──はやい、残酷な死のほうがいいのかもしれない──あの子供たちが歌っていることよりは……。閉じこめられる──おりのなかに──死ぬまで……ええ、いいことじゃありませんね、それは」

ポアロは頭をふった。そして、口をひらいたときは、声の調子ががらりと変わっていた。

「あした、わたしはあのカストという男のところへいきます」そして、運転手に言った。「ロンドンへもどってください」

「イーストボーンへはいかないんですか」わたしは大声をあげた。

「必要ないでしょう？　わたしにはわかっているんです──知りたいことは充分に」

33

アレグザンダー・ボナパート・カスト

ポアロとあの妙な男――アレグザンダー・ボナパート・カストが会見したとき、わたしはその場に居合わせなかった。警察との協力関係や事件の特殊な状況のせいで、ポアロが内務省の面会許可をとるのはむずかしくなかったが、わたしの分まで許可をとることはできなかったし、いずれにしても、ポアロにとっては、この会見をカストとまったく二人だけで、顔をつき合わせて行なうことが重要だったのだ。

しかし、ポアロは二人のあいだにあったことを事細かに話してくれたので、わたしとしてはじっさいに立ち会ったかのように確信をもって書き記すことができた。

カスト氏は身体が縮んでしまったように見えた。猫背がもっと目につくようになった。指がなんとはなしに上着をそわそわとまさぐっていた。

しばらくのあいだ、どうやらポアロは口をひらかなかったようだ。

彼はじっと座って、目の前の男を見つめつづけた。

雰囲気はしだいに穏やかになり——なだめるように——かぎりなく安らかになっていった……。

劇的な瞬間だったにちがいない——長いドラマにおけるこの二人の宿敵の会見は。ポアロの立場にいたら、わたしなら劇的なスリルを感じたはずだ。

だがポアロはごく事務的だった。目の前にいる男に何らかの影響を与えることだけに没頭していた。

とうとう彼はやさしく言った。

「わたしが誰だかご存知ですか」

相手は首をふった。

「いいえ——いいえ——知りません。あなたがルーカスさんの——どういうふうに言うんでしたっけ——ジュニア（下級法廷弁護士）でないんなら。それともメイナードさんのところからいらしたんですか」

（〈メイナード＆コール〉はこの事件を扱っている弁護士事務所である）

言葉づかいはていねいだが、興味はなさそうだった。心のなかで何かぼんやりと考えこんでいるのだろう。

「わたしはエルキュール・ポアロです……」

ポアロはそれをごく穏やかに言い……相手の反応を見まもった。

カスト氏はちょっと頭をあげただけだった。

「ほう、そうですか」

カスト氏はそれをクローム警部のようにごく自然に言ったが――クローム警部の横柄さはまったくなかった。

そして、ちょっとたってから、その言葉をくりかえした。

「ほう、そうですか」今回は口調がちょっと変わり――興味をそそられたようだった。

彼は頭を起こし、ポアロを見つめた。

エルキュール・ポアロは彼の視線を受け、一度か二度、やさしく頭をうなずかせた。

「そう」ポアロは言った。「わたしはあなたが手紙を書いた相手です」

その瞬間、接触が断たれた。カスト氏は目を伏せ、いらだたしげに不機嫌な声で言った。

「あなたに手紙なんか書いていません。その手紙はわたしが書いたものじゃない。そのことは何度も、何度も、何度も言ってます」

「わかってます」ポアロは言った。「でも、あなたが書いたのでなければ誰が書いたのでしょう」

「敵です。わたしには敵がいる。みんなわたしを目の敵《かたき》にしている。警察も――誰も彼も――みんなわたしに敵対してる。途方もなく大きな陰謀なんだ」

ポアロは答えなかった。

カスト氏は言った。

「みんながわたしに敵意をもつんだ――いつだって」

「あなたが子供のときも？」

カスト氏は考えこんだようだった。

「いや――ちがう――そのころはちがった。母はとてもかわいがってくれました。でも母には野心があった――大きな野心があった。だからあんなバカげた名前をつけたんです。わたしがひとかどの人間になる、なんてつまらないことを考えていた。いつも、目立つようなことをしろとせっつくんです――意志の力がどうのと言い……人間は誰でも自分の運命を変えられると言いました……わたしならなんだってできると言ったんです！」

彼はちょっと黙りこんだ。

「母は間違っていた、もちろん。そのことはわたしもすぐに気づきました。わたしはうまく生きていけるような人間じゃなかった。いつもバカなことをして――いかにも滑稽な人間だと思われてしまう。それに臆病で――ほかの人が怖かった。学校ではいじめられました――男の子たちはわたしの名前を知って――そのことでわたしをからかい――わたしはなんでもビリでした――ゲームでも、勉強でも、何もかも」

彼は頭をふった。

「かわいそうな母は死んでしあわせでした。母は失望しました……商業学校へいっても、わたしは成績が悪かった――タイプや速記もほかの学生より覚えが悪かった。それでも自分がバカだとは感じられなかったんです――わたしの言いたいことがおわかりになるんなら」

彼はふいに訴えるような目でポアロを見た。

「あなたの言いたいことはわかります」ポアロは言った。「つづけてください」

「わたし以外の全員が、わたしのことをバカだと思っている、という感じがしたんです。そのせいで金縛りになってしまう。職場でも同じでした」

「そして戦争にいってからも？」ポアロはうながした。

カスト氏の顔がぱっとあかるくなった。

「わかりますか」彼は言った。「戦争は楽しかった。わたしが体験した戦争はね。わたしははじめて、自分もみんなと同じ人間だと感じました。わたしたちはみんな同じ箱のなかにいる。わたしはほかのみんなと同じように有能なんです」

彼の微笑が消えた。

「それから頭に負傷しました。ほんのちょっとです。でも、発作を起こすことを知られて……もちろんそれまでに、自分が何をしていたのか、はっきりしないときがあるのはわかってました。記憶喪失です。それに、もちろん、一度か二度、気を失ったこともありました。でもそのせいで除隊させられるなんて。あんまりです」

「それで、そのあとは？」ポアロは訊いた。

「事務の仕事につきました。もちろん、あのころは金をたくさんもらえました。それに戦後の生活もそれほど悪くなかったんです。もちろん給料はもっと少なくなったけど……それから――わたしはうまくやっていけないみたいだった。昇進のときはいつも飛び越されて。うだつがあがらないんです。だんだん生活が苦しくなりました――ほんとに苦しくなって……とくに不景気になったときは。ほんとうのことを言うと、まともに生活するだけのものが稼げなくて（それに事務員として身なりもちゃんとしてなければいけないし）そのときにストッキングの仕事をすすめられたんです。給料と歩合がもらえるって！」

ポアロはやさしく言った。

「でもあなたは、あなたを雇ったという会社がその事実を否定していることは知ってますね」

カスト氏はまた興奮した。

「それはみんなが陰謀に加わってるからなんです——みんな、ぐるになってるにちがいないんだ」

カスト氏はつづけた。

「わたしは証拠の書類をもってる——書かれた証拠です。わたし宛ての手紙をもっている。どこそこへいけという指示と、訪問する人々のリストです」

「正確に言えば、書かれた証拠ではありませんね——タイプされた証拠でしょう」

「同じことですよ。大手の卸製造業の会社なら、手紙をタイプするにきまってるじゃないですか」

「ご存知ないんですか、カストさん、タイプライターというものは特定できるんですよ。あなたの言う手紙はすべて、特定のタイプライターでタイプしたものなんです」

「それがどうしたんですか」

「そのタイプライターはあなた自身のものなんです——あなたの部屋から発見されたんです」

「あれは仕事についたとき、会社から送られてきたんです」

「そう、でもあなたが手紙を受けとったのは、そのあとなんですよ。だからあなたが自分でタイプして、自分宛に郵送したように見えるんです、そうじゃありませんか」

「ちがう、ちがう！　ぜんぶわたしにたいする陰謀なんだ！」

彼はだしぬけに言い足した。

「それに、会社の手紙はみな、同じ種類のタイプライターで書かれるはずです」

「機種は同じです、でも同じタイプライターではありません」

カスト氏は頑固にくりかえした。

「陰謀だ！」

「それに戸棚にあったABC鉄道案内はどうなんですか」

「そのことは何も知りません。ぜんぶストッキングだと思ってたんです」

「どうしてアンドーヴァーの最初の人々のリストのなかでアッシャー夫人の名前にしるしをつけたんですか」

「彼女からはじめようと思ったからです。どこかからはじめなければなりませんからね」

「ええ、そうですね。どこかからはじめなければならない」

「そういう意味じゃない！」カスト氏は言った。「あなたが言おうとしているような意味じゃないんだ！」

「でも、わたしがどういう意味で言おうとしたのかわかってるんですね？」

カスト氏は何も言わなかった。ふるえだした。

「わたしはやってない！」彼は言った。「ほんとに無実なんだ！　ぜんぶ間違いだ。だって二度目の犯罪はどうなんですか——ベクスヒルの事件ですよ。わたしはイーストボーンでドミノをやってた。そのことは認めないわけにいかないでしょう！」

彼の声には勝ち誇ったようなひびきがあった。

「ええ」ポアロは言った。その声は思案するようで——絹のようになめらかだった。「でも、とても簡単ですよ、日付を一日、間違えるのは。それにストレンジさんのように頑固で強情な人なら、自分が間違えたかもしれないなんて、考えようともしないでしょう。自分が言ったことは、あくまでも正しいと主張しつづけるはずだ……ストレンジさんはそういうタイプの人です。それにホテルの宿泊名簿ですが——あれはサインするときに日付を間違えるなんてごく簡単なことですよ——そのときには誰も気づかないでしょう」

「わたしはあの夜ドミノをやってたんだ！」

「あなたはドミノがとてもお上手だそうですね」

カスト氏はこの言葉に少しまごついた。

「わたしは——わたしは——ええ、そうだと思います」

「あれは熟練を要するゲームで、やると夢中になってしまうそうですね」

「ええ、いろいろ技巧がありますからね——いろいろな技が！　ロンドンにいたころよくやったものです、昼休みにね。びっくりするかもしれませんが、ドミノのゲームは見ず知らずの人ともやれるんですよ」

彼はくすくす笑った。

「ある男のことを思い出しますがね——その人が話してくれたことのせいで、忘れたことはないんですが、わたしたちはコーヒーを飲みながら話していて、それからドミノをはじめたんです。二十分もやったときには、生まれてこのかた、その人とはずっと知り合いだったような気がしました」

「その人は何を話したんですか」ポアロは訊いた。

カスト氏の顔が暗くなった。

「どきっとさせられました——ぎょっとしました。てのひらに自分の運命が書かれていると言うんです。そして彼は手を見せてくれました。二回溺れそうになって間一髪で助かるという線があって、じっさいに二度助かったんだそうです。それからわたしの手相をみて、びっくりすることを言いました。死ぬ前にイギリスでいちばん有名な人間の一人になるだろうって。それから彼は言ったんです。イギリスじゅうでわたしのことが話題になるだろうと言いました。でもそれから彼は言ったんです――彼は言ったんです……」

カスト氏はとり乱し――口ごもった……。

「なんですか」

ポアロの視線には磁石のような穏やかな力がこもっていた。カスト氏は彼を見て、目をそらし、魅入られた兎のようにまた目をもどした。

「彼が言ったのは――彼が言ったのは――わたしが横死をとげるかもしれないということでした――そして笑い、こう言いました。『まるで、絞首台で死ぬように見えるな』そして笑い、いまのはただの冗談だ、と言いました……」

彼は突然、黙りこんだ。目がポアロの顔を離れ――きょときょとまわりを見た……。

「頭が――頭がひどく痛むんです……頭痛は猛烈にひどいときもあるし。それにときどきあるんです、わからなくなってしまうことが――何もわからなくなってしまうことが……」

彼は泣き崩れた。

ポアロは身を乗りだした。そして静かに、だが確信をもって話しかけた。

「でもあなたはわかってますね」と彼は言った。「自分が人を殺したことは？」

カスト氏は顔をあげた。彼の視線は素朴に、そしてまっすぐポアロに向けられた。抵抗しようという気配が完全に消えていた。奇妙なほど落ち着いていた。

「ええ」と彼は言った。「わかってます」

「でも――なぜ殺人をやったのかわからない――そのとおりですか、どうですか？」

カスト氏は首をふった。

「ええ、わかりません」と彼は言った。

34　ポアロ、説明する

わたしたちはポアロから事件の最後の説明を聞くために、緊張して座っていた。

彼は言いはじめた。「わたしは最初から、この事件がなぜ起こったのかということを気にかけていました。先日ヘイスティングズが、この件は終わったと言いました。わたしは彼に答えて、この件はあの男なのだ！　と言いました。謎は殺人の謎ではなく、ABCの謎です。なぜ彼はこれらの殺人をする必要があると考えたのでしょう。なぜ彼はわたしを敵として選んだのでしょうか。

その男が精神的に異常だというのでは、答えにはなりません。ある男が狂っているから狂ったことをするというのは、理知的ではなく、愚かしいだけです。狂気の人間はその行動において、正気の人間と同じように論理的であり筋が通っているのです――その奇妙にゆがんだ視点から見てということですが。たとえば、ある男が腰布だけつけて外に出ていき、そこでうずくまるとしたら、彼の行為はきわめて異常だとみなされるでしょう。しかし、その男が自分はマハトマ・ガンジーだと思いこんでいることがわかっていたら、彼の行動は完全に論理的であり、筋が通ったものとなるわけです。今回の事件で必要なことは、四回もしくはそれ以上の殺人を犯すのは論理的であり、筋が通っているとみなし、それをあらかじめエルキュール・ポアロに手紙で告げるという精神を想像することです。

わたしの友人ヘイスティングズに聞けば、最初の手紙を受けとったときから、わたしは動転し心を乱していた、とみなさんに言うことでしょう。その手紙には何かおかしなことがあると思えたのです」

「あなたが感じたとおりだった」フランクリン・クラークがそっけなく言った。

「はい。しかし、そもそものはじめから、わたしは重大な間違いをしていました。自分の感情を――その手紙に関するわたしの強い感情を――たんなる印象にすぎないと考えてしまったのです。それを直観にすぎないとみなしてしまいました。バランスのとれた、理性的な精神のなかには、直観などというものはありません――霊感による推量などはないのです！　むろん、推測はできる――推測は正しいか間違っているかのどちらかです。正しければ、それを直観と呼ぶのです。間違っていれば、ふつう、それについては二度と口にしません。しかし、しばしば直観と呼ばれているものは、じっさいは論理的な推論もしくは経験にもとづいた印象なのです。専門家が絵画なり、家具なり、小切手の署名なりについて、何かがおかしいと感じたら、その感情は無数の微妙な特徴や細部にもとづいて生まれたものなのです。それを詳細に吟味する必要はありません——彼の経験がそれを不要にするのであり——結果は何かがおかしいという明確な印象が残るのです。しかし、それは当て推量ではありません。それは経験にもとづいた印象なのです。ところで《エ・ビャン》、あの最初の手紙を、きちんと検討しなかったことは認めます。わたしは極度に気持ちをかき乱されただけでした。警察はいたずらとみなしました。わたし自身は真剣に受けとめました。そこに予告されているとおり、アンドーヴァーで殺人が起こることを確信していました。ご存知のとおり、殺人は起こりました。

その時点では、わたしも充分に気づいていましたが、誰がその殺人をやったのかを知るすべはありませんでした。わたしの前にひらけていたただ一つの道は、どのような人間がやったのかを理解しようとすることだけでした。

手がかりがいくつかありました。手紙——犯罪の手口——殺された人物など。わたしが発見しなければならなかったのは、犯罪の動機であり、なぜ手紙が書かれたのかという動機です」

「有名になるためでしょう」クラークが言った。

「その裏には、たしかに劣等感があるのでしょうね」ソーラ・グレイが言い足した。

「それは、もちろん、明白な線ですね。しかし、なぜわたしなのか。なぜエルキュール・ポアロなのか。手紙を警視庁へ送れば、もっと大きな宣伝になります。新聞に送ればなおさらです。新聞は最初の手紙を載せなかったかもしれないが、第二の犯罪が起こったときには、ＡＢＣは新聞に可能なかぎりの宣伝をすべて享受できたはずです。それなのに、なぜ、エルキュール・ポアロなのか。何か個人的な理由からでしょうか。手紙には、外国人にたいする偏見がかすかにうかがえましたが――この問題の説明としてわたしが納得できるほどではありません。

それから第二の手紙がきました――それにつづいて、ベクスヒルにおけるベティ・バーナードの殺人がありました。それで明白になったのは（わたし自身はすでに予測していましたが）殺人がアルファベット順に行なわれるということであり、多くの人々はそうわかっただけで納得しましたが、わたしの心には、重要な疑問がそのまま残りました。なぜＡＢＣはこれらの殺人をする必要があるのかという疑問です」

ミーガン・バーナードが椅子に座ったまま身じろぎした。

「血にたいする渇望などというものがあるんじゃないですか」彼女は言った。

ポアロは彼女のほうを向いた。

「あなたは正しいですよ、マドモワゼル。たしかにそのような欲求はあります。殺しの欲求が。しかし、それはこの件のいろいろな事実にはあてはまりません。殺しを欲する殺人狂は、ふつう犠牲者をできるだけ大勢殺そうとします。それはくりかえし生まれる渇望です。そのような殺人者にとって大事なのは痕跡を隠すことであり——それを宣伝することではありません。選びだされた四人の犠牲者について——少なくとも三人について（ダウンズ氏やアールスフィールド氏のことはほとんど知らないので）考えるとき、殺人者はもしそうしたければ、なんら自分に疑惑の目を向けられることなくやってのけられたことがわかります。警察はフランツ・アッシャー、ドナルド・フレイザー、ミーガン・バーナード、たぶんクラーク氏に——たとえはっきりした証拠はないにしても、疑いをかけたことでしょう。未知の殺人狂がいるかもしれないなどとは考えもしなかったはずです。それなのにどうして殺人者は、自分に注意を引きつける必要があると感じたのでしょうか。遺体のそばにＡＢＣ鉄道案内を残していくのは必要なことだったのでしょうか。それは抑えがたい欲求だったのでしょうか。鉄道案内と結びつけられるコンプレックスがあるのでしょうか。

この時点では、殺人者の心に入ってみるのはとうてい無理でした。たしかに寛大さではないはずです。無実の人間にぬれぎぬを着せてしまう恐怖ではないでしょう。

この重要な疑問には答えられませんでしたが、殺人者についていくつかのことがわかりはじめたという気がしました」

「たとえばどんなことですか」フレイザーが訊いた。

「まず——彼は順序だてて考えるのが好きだということです。彼の犯罪はアルファベット順に進行します——それは彼にとってあきらかに重要でした。その反面、犠牲者については特別な好みはありません——アッシャー夫人、ベティ・バーナード、カーマイケル・クラーク卿、彼らはお互いにまったくちがいました。性的なコンプレックスではありません——年齢のコンプレックスでもない。それがわたしにはとても奇妙に思えました。ある男が無差別に殺すとしたら、それはふつう、自分にとって邪魔になるか、煩わしい人間をとり除くためです。しかし、アルファベット順の殺人は、この件がそうではないことを示しています。もう一つのタイプの殺人者は、ふつう特定のタイプの犠牲者を選びだします——ほぼかならず異性を。ところが、ABCの手順には行き当たりばったりなところがあり、それがアルファベット順のきちんとした選び方とは矛盾するように思えました。

わたしは一つのささやかな推測をしてみました。ABC鉄道案内を選んだことは、鉄道に関心がある人間だと考えられます。これは女性よりも男性に共通しています。男の子は女の子よりも列車を好みます。ABC鉄道案内はある意味では未発達の精神を示すしるしかもしれません。「男の子」の動機が、いまだに犯人の心のなかで圧倒的に強いのです。

ベティ・バーナードの死とその手口が、ほかの手がかりを与えてくれました。彼女の死はとりわけ示唆に富んでいます（こんな言い方をお許しください、フレイザーさん）。まず、彼女は自分のベルトで首を絞められました――つまり、彼女は親しいか、好意をもっていた誰かに殺されたと言えるのです。彼女の性格について知ったとき、わたしの頭のなかにある絵が生まれました。

ベティ・バーナードは浮気娘でした。彼女は好ましい男性にちやほやされるのが好きでした。だからABCは彼女を誘いだしたからには、かなり魅力があったにちがいありません――セックス・アピールが！　彼はあなたがたイギリス人が言うように、『ひっかける』のがうまいにちがいありません。女性を夢中にさせることができるにちがいないのです。わたしが思い浮かべる海岸の場面はこうです。男が彼女のベルトをほめる。彼女はそれをはずし、彼がふざけて彼女の首に巻きつける――たぶん、こう言いながら、『きみの首を絞めちゃうよ』ぜんぶ、ふざけながらです。彼女はくすくす笑い――彼は引っ張る――」

ドナルド・フレイザーが飛びあがった。顔が鉛色になっていた。

「ムッシュー・ポアロ――お願いですから」

ポアロは手をふった。

「もう終わりました。もう言いません。終わりです。次の殺人に移ります、カーマイケル・クラーク卿の殺人に。ここで殺人者は最初のやり方にもどる――頭部に一撃を加えたのです。同じアルファベット・コンプレックスです――でも一つの事実が心に引っかかりました。首尾一貫しているためには、殺人者は町をなんらかの明確な順序で選ぶはずです。

アンドーヴァーがAの項目の一五五番目なら、Bの犯罪もその項目の一五五番目であるはずだし――あるいは一五六番目で、Cはその項目の一五七番目であるはずです。しかし、町もまた行き当たりばったりに選ばれたように思えました」

「それはあなたがその問題についてひどく偏った見方をしているからじゃないんですか」わたしは言ってみた。「あなた自身、ふだんは組織的で几帳面すぎる。あなたの場合は病気みたいなものですよ」

「いや、病気じゃありません！ なんという考え《ケル・イデー》だ！ しかし、その点を強調しすぎていることは認めます。先に進みましょう《パッソン》！

チャーストンの犯罪はわたしにとって、あまり助けになりませんでした。その件では運が悪かった。それを予告した手紙が間違って配達されたために、準備をすることができなかったからです。

しかし、Dの犯罪が予告されたときは、きわめてしっかりした防衛システムがつくられました。ABCがこれ以上犯罪をやって逃げのびる可能性があまりないことはあきらかだったにちがいありません。

そのうえ、この時点で、ストッキングの手がかりをつかむことができたのです。ストッキングを行商している人間が、それぞれの犯罪現場の近辺にあらわれるのが偶然ではないことはあきらかでした。だから、ストッキング売りが殺人者にちがいないのです。ミス・グレイから聞いたその男の人相が、ベティ・バーナードの首を絞めた男についてわたしが抱いているイメージと一致しないことは言っておきましょう。

次の段階はざっと述べるだけにします。第四の犯罪が行なわれ――ジョージ・アールスフィールドという名前の男が殺され――ダウンズという名前の男と間違えられたのだと考えられました。二人は同じ身体つきで、ダウンズは映画館で被害者の近くに座っていたのです。

そしてとうとう潮が変わりました。さまざまな出来事がABCの思惑どおりではなく、彼の意に反するように動いたのです。ＡＢＣは目をつけられ――狩りたてられ――とうとう逮捕されました。

この事件は、ヘイスティングズが言うように、終わったのです！　犯人は拘置所にいて、いずれブロードムーアに送られることは間違いありません。もう殺人はありません。退場！　終わり！　安らかに眠れかし、です。

でも、わたしにとってはちがいます！　わたしは何も知りません――何一つ知らないままなのです！　なぜもなんのためにもわからないのです。

それに一つだけ、小さいけれど気にかかる事実がありました。カストという男には、ベクスヒルにおける犯罪の夜、アリバイがあったのです」

「そのことはわたしもずっと気になってました」フランクリン・クラークが言った。

「ええ。気になりました。そのアリバイは、真実味があったからです。しかし真実であるはずがないのです――ですから、ここで二つの非常に興味深い考察をしてみましょう。

みなさん、仮に、カストは三つの犯罪――ＡとＣとＤの犯罪をやってのけたが――Ｂの犯罪はしなかったとしましょう」

「ムッシュー・ポアロ。そんなことは――」

ポアロはミーガン・バーナードに目を向けて、彼女を黙らせた。

「静かにしてください、マドモワゼル。わたしは真実を述べようとしているのですよ、このわたしは！　嘘はもうたくさんだ。仮に、ABCが第二の犯罪をしていないとします。それが起こったのは、覚えておいででしょうか、二十五日の未明でした——その日、彼は犯罪をするためにやってきました。でも、誰かが先まわりをしていたとしたらどうでしょう。その場合、彼はどうするでしょうか。第二の殺人をやるか、それとも身をひそめ、誰かが先まわりした殺人をいわば気味の悪いプレゼントとして受け入れるか」

「ムッシュー・ポアロ！」ミーガンが言った。「とんでもない空想にすぎません！　あの犯罪はすべて同一人物によってなされたにちがいないんです！」

ポアロはミーガンを無視して、そのまま話しつづけた。

「そのような仮説には、ある矛盾が説明できるという利点があります——アレグザンダー・ボナパート・カストの人格と（どんな娘だって引っかけることができなかったはずです）ベティ・バーナードを殺した犯人の人格との矛盾です。これまでにも、殺人を犯そうとした人間が、ほかの人々による犯罪を自分がやったことにしたという例が知られています。たとえば、切り裂きジャックの犯罪のすべてが、切り裂きジャックによってなされたわけではありません。ここまではまあいいでしょう。

しかし、ここで決定的な難問にぶつかりました。バーナード殺しが起きるまで、ABC殺人事件についての事実はおおやけにされていませんでした。アンドーヴァーの殺人はあまり世間の関心を引きませんでした。ページがひらかれていた鉄道案内については、新聞に載ることもなかったのです。つまりこういうことになります。ベティ・バーナードを殺した人物は、一部の人々――わたし自身、警察、アッシャー夫人の身内と隣人たちにしか知られていなかった事実を知っていたのです。

この線での考察は壁にぶつかってしまいました」

ポアロを見ている人々の顔も壁のように表情がなかった。表情がなく、ただ困惑していた。

ドナルド・フレイザーが考えこむように言った。

「警察官だってやはり人間だし。それに彼らは男前で――」

彼は口をつぐみ、もの問いたげにポアロを見た。

ポアロは穏やかに首をふった。

「いいえ――それよりもっと単純です。さきほど、第二の考察があると言いましたね。カストがベティ・バーナード殺しとは無関係だとしましょう。ほかの誰かが彼女を殺したと仮定します。その誰かが、ほかの三件の殺人もやっているということはありうるのでしょうか」

「だが、それでは筋が通らない！」クラークが大声をあげた。

「そうでしょうか。わたしはそれから、最初からすべきであったことをやりました。受けとった手紙を、まったくちがう見地から検討してみたのです。最初から、手紙には何かおかしいところがあると感じていました——絵画の専門家が、ある絵画をおかしいと感じるように……。

　わたしはろくに考えることもせずに、その手紙におかしいところがあるのは、狂気の人間によって書かれたという事実のためだと想定しました。

　いま、わたしはそれをまた検討して——今回はまったく異なる結論にたどりつきました。手紙についておかしいことがあるように思えたのは、それが正気の人間によって書かれたという事実！　なんです」

「なんだって？」わたしは大声をあげた。

「でも、そうなんです——まさにそうなんですよ！　それは絵画がおかしいように、おかしかったんです——にせものだったからです！　手紙は頭がおかしい人間によって——殺人狂によって書かれたように見せかけてありましたが、じっさいにはそうではなかったのです」

「それでは筋が通らない」フランクリン・クラークがくりかえした。

「でもそうなんです！　論理的に考えてみなければいけません――よく考えてみなければ。そのような手紙を書く目的はなんでしょうか。書き手に注意をあつめることです、殺人事件に注目させることです！　じつのところ《アン・ヴェリテ》、最初は意味をなすとは思えませんでした。やがて光明が見えました。手紙はいくつかの殺人に――一連の殺人に――注意をあつめるためなのです……。あなたたちの偉大なシェイクスピアじゃないですか、こう言ったのは、『森を見て木を見ない』と」

わたしはポアロの文学上の間違いを訂正しようとはしなかった。わたしは彼の要点を見ようとした。光が射してきた。ポアロはつづけた。

「針にいちばん気がつかないのは、どこにあるときですか。針刺しに刺してあるときです！　ある殺人にいちばん気づかないのは？　一連の関連した殺人の一つであるときです！

わたしの相手はきわめて頭のいい、機略縦横の殺人者でした――むこうみずで大胆不敵な、徹底的なギャンブラーです。カスト氏ではありません！　カスト氏がこれらの犯罪をやれたはずがない！　いえいえ、わたしの相手はまったく異なる男なのです――少年めいた気質の男（小学生じみた手紙と鉄道案内がその証拠です）、女性にとって魅力的な男、人間の生命など気にもとめない非情な男、犯罪の一つに、重大なかかわりがあるにちがいない男です！

考えてみてください、誰かが殺されたとき、警察がまず考える疑問はなんですか。機会です。犯行時間にどこにいたか？　動機です。被害者の死によって利益を得るのは誰か？　動機と機会がかなり明白である場合、殺人を企む者はどうすればいいのでしょうか。にせのアリバイをつくる――つまり、なんらかの方法で時間をごまかすか？　しかし、それはつねに運まかせのところがあります。われらが殺人者はもっと予想外の方法を考えつきました。殺人狂をつくりだしたのです！

こうなると、わたしはそれぞれの殺人事件を洗いなおして、有罪と思える人物を発見しなければなりません。アンドーヴァー殺人事件はどうか。もっとも可能性の高い容疑者はフランツ・アッシャーですが、アッシャーがそのように手のこんだ計画を練り、実行したとは想像もできませんし、そもそも彼が謀殺を企んでいるところなど考えられもしません。ベクスヒルではどうか。ドナルド・フレイザーには可能性があります。彼は頭がよく、能力もあるし、組織的に考える精神ももっています。しかし、恋人を殺す動機としては嫉妬しかないし――嫉妬というものは、あらかじめ計画をたてないものです。

それに、彼は八月上旬に休暇をとっていることがわかりました。つまり、チャーストンでの犯罪にかかわることはなかったはずです。次はチャーストンの事件です――そしてここでの展望ははるかに有望になりました。

カーマイケル・クラーク卿は大金持ちです。誰が彼の財産を相続するのでしょうか。彼の妻は不治の病で死の床にあり、生きているあいだは財産に関する権利がありますが、亡くなれば、それは弟のフランクリンのものになります」

ポアロはゆっくりと頭をめぐらせて、フランクリン・クラークと目を合わせた。

「わたしは確信をもちました。心の奥で長いあいだ知っていた男はわたしがじっさいに知っていた男と同じでした。ABCとフランクリン・クラークは同一人物なのです！　大胆な冒険好きの性格、放浪癖、外国人をからかうことでごくかすかに示されるイギリスにたいする偏愛。魅力的な、のびのびした気楽な物腰――カフェで若い娘を引っかけることなど、彼にとっては朝飯前なのです。順序だてるのを好む頭――彼は先日この部屋でリストをつくり、ABCの項目をチェックしていきました――そして最後に、少年めいた精神――これはレディ・クラークがふれましたし、小説に関する彼の好みにもあらわれています――わたしは書斎にE・ネスビットの『鉄道の子供たち』があることをたしかめています。わたしの心のなかには、もう疑問はなくなりました。ABC、すなわちあの手紙を書き、犯罪をやってのけた男はフランクリン・クラークその人なのです」

　クラークが突然笑いだした。

「じつに独創的だ！　それで、現行犯で捕まったも同然の、われらがカストはどうなんです？　上着についていた血痕は？　下宿に隠していたナイフは？　彼は犯行を否定するかもしれないが――」

　ポアロはさえぎった。

「それは間違ってます。彼は犯行を認めています」

「なんだって？」クラークはじっさいに仰天したようだった。

「ええ、そうです」ポアロは静かに言った。「カストと話したとたん、自分が有罪だと思いこんでいることがわかりました」

「それでもあなたは満足しないのか、ムッシュー・ポアロ」クラークが言った。

「ええ。彼を見たとたん、有罪であるはずがないことがわかったからです！　彼にはその度胸も、不敵さもありませんでした――それにつけ加えるなら、計画するだけの頭も！　最初から、わたしは殺人者の二重の人格に気づいていました。いまはそれが何によるものなのか見てとれます。二人の人間がかかわっているのです――真の殺人者、狡猾で、機略縦横で、大胆な人物――そして偽の殺人者、愚かで、優柔不断で、暗示にかかりやすい人物です。

暗示にかかりやすい――その言葉にカスト氏の謎があるのです！　あなたにとっては、クラークさん、たった一つの犯罪から注意をそらすために連続殺人を計画するだけでは充分ではなかった。身代わりが必要だったんです。

その考えが最初に浮かんだのは、ロンドンの喫茶店で、大げさなクリスチャン・ネームをもつ奇妙な人物とたまたま出会ったからでしょう。あなたはそのころ頭のなかで、お兄さんを殺すためにさまざまな計画を考えていた」

「ほんとうに？　なぜですか」

「あなたは将来が本気で心配になってきたからです。あなたは気づいているかどうかわかりませんがね、クラークさん、お兄さんからもらった手紙を見せてくれたことがわたしには大いに役立ったんです。あの手紙のなかで、お兄さんはソーラ・グレイ嬢に愛情をもち、彼女に夢中になっていることをはっきりと示していました。お兄さんの関心は父親のようなものだったかもしれませんし――そう思いたかったのかもしれません。にもかかわらず、義理のお姉さんが亡くなった場合、寂しさにかられたお兄さんが、この美しい女性に同情と慰めを求め、それが最後には――年配の男性にありがちなように――

——結婚に至るかもしれないというほんものの危険がありました。あなたの恐れは、ミス・グレイの人柄を知ることによってますます大きくなりました。あなたは、多少皮肉っぽいところはあっても、性格をみごとに見抜くのだと思います。あなたは、正しいかどうかはさておき、ミス・グレイは『上昇志向のある』女性だと判断した。レディ・クラークになるチャンスに飛びつくのは間違いないと考えました。お兄さんはきわめて健康で、精力的な方です。子供が生まれるかもしれないし、そうなればお兄さんの財産を相続するというチャンスは消えてしまいます。

あなたは生涯を通じて、何度も失望しつづけてきたのでしょうね。あなたは転がる石であり、苔がほとんどつかなかった。お兄さんの財産をうらやんでいたんです。

くりかえしますが、あなたは心のなかでさまざまな計画を考えているとき、カスト氏に会ってあることを思いついたんです。彼の偉そうな名前、発作や頭痛のこと、彼のいつも身を縮めているような、目立たない性格などが、あなたの望む道具として申し分ないと思えたのです。アルファベット順に殺すという計画が心のなかに浮かび——カストの頭文字や——お兄さんの名前がCではじまり、チャーストンに住んでいるという事実が、計画の核心になりました。あなたはカストにどんな死に方をするかほのめかすことさえしました——もっとも、その暗示がまさかこれほど豊かな実りをもたらすとは夢にも思わなかったでしょうが！

あなたの準備はみごとでした。カスト氏の名前で手紙を書き、大量のストッキングが彼のところに送られるようにはからいました。あなた自身が、ABC鉄道案内を同じような小包にして、何冊も送りました。カスト氏に手紙を送りました——同じ会社から高い給料と歩合を提供するという内容のタイプした手紙です。計画をうまくたてておいたので、次々に送られることになる手紙をすべてあらかじめタイプしておき、そのために利用したタイプライターをカスト氏に送ったのです。

あなたはそれからそれぞれ名前がAとBではじまり、同じ頭文字ではじまる町に住んでいる二人の犠牲者をさがさなければなりませんでした。

あなたはアンドーヴァーに白羽の矢を立て、あらかじめ調べて、最初の犯罪の場所としてアッシャー夫人の店を選びました。彼女の名前はドアの上にはっきりと記されているし、店にふつうは一人でいることもわかりました。その殺人は度胸と、大胆さと、そこそこの運があればできそうでした。

Bのためには、戦術を変えなければなりませんでした。一人で店番をしている女性は、おそらく警告を受けているでしょう。わたしの想像では、あなたはいくつかのカフェや喫茶店にたびたび足を運び、そこの娘たちと笑ったり冗談を言ったりして、誰の名前が

Ｂではじまるか、あなたの目的には誰が適切かを見つけようとしたのでしょう。

ベティ・バーナードはあなたが探していたまさにその娘でした。あなたは彼女を一度か二度連れだし、自分は結婚していると言い、だから人目を忍んで会わなければならないのだと説明しました。

それから下準備が完了し、あなたは実行に移りました！　アンドーヴァーのリストをカストに送り、指定した日にそこへいくように指示し、わたし宛ての最初のＡＢＣの手紙を投函しました。

指定した日にあなたはアンドーヴァーへいき——アッシャー夫人を殺し——計画に齟齬をきたしそうなことは何一つ起こりませんでした。

第一の殺人は成功裡に完了しました。

第二の殺人は、用心して、じっさいには前日にやったのです。ベティ・バーナードが七月二十五日の午前零時よりもかなり前に殺されたことはたしかだと思います。

さてそこで第三の殺人です——重要な——あなたにしてみれば、本命の殺人です。

そしてここで、ヘイスティングズを褒めたたえたほうがいいでしょう。彼は素朴で明白な言葉を口にしたのですが、誰も注意をはらいませんでした。

彼は第三の手紙が間違って配達されたのは意図的だとほのめかしたのです！

そして彼は正しかったのです！……。

そのたった一つの単純な事実に、わたしを最初から悩ませていた疑問の答えがありました。なぜ手紙は警察ではなく、私立探偵のエルキュール・ポアロに宛てられていたのでしょうか。

わたしは何か個人的な理由だろうと誤って考えていました。

そうではありませんでした！　手紙がわたし宛てだったのは、あなたの計画の要が、その一通に間違った住所が書かれ、誤って配達されることにあったからです――しかし、警視庁の犯罪捜査部宛ての手紙では、誤配されるように仕組むことはできません！　個人の住所に宛てる必要がありました。あなたはわたしを、かなり名前を知られているし、警察に手紙をもちこむはずだというので選びました――それに、あなたの島国根性にとっては、外国人を出し抜くことが楽しかったのでしょう。

あなたは封筒の住所を巧妙に書いた――ホワイトヘイヴン――ホワイトホース――ごく自然な間違いです。ヘイスティングズだけが充分な洞察力を発揮し、微妙な小細工は無視して、明白な事実を直視したのです！

もちろん、その手紙は誤った住所に配達されるように意図されたのです！　警察が動きだすのは殺人が無事に終わってからでなければなりません。お兄さんの夜の散歩はあなたに機会を与えました。それに、ABCにたいする恐怖が世間の人々の心をみごとに捕らえていたので、あなたが殺したという可能性は誰も考えませんでした。

お兄さんが死ぬと、もちろん、あなたの目的は達成されました。もうこれ以上、殺人を犯したいとは思わなかったでしょう。その一方、もし連続殺人が理由もなく突然終わったら、真相についての疑惑が誰かの心に浮かぶかもしれません。

あなたの身代わりのカスト氏は透明人間の役割を——目立たないので——みごとにやってのけ、それまで三件の殺人事件の現場に同じ人物がいたことに誰も気づいていませんでした！　あなたにとっていらだたしいことに、彼がコームサイドを訪れたことさえ、誰も口にしないのです。そのことはミス・グレイの念頭からもまったく消えていました。

つねに大胆なあなたは、もう一つの殺人が必要だと決心しましたが、今回は犯人の痕跡が明瞭に示されていなければなりません。

あなたは犯罪の場としてドンカスターを選びました。

あなたの計画はごく単純なものでした。あなた自身はことのなりゆきで現場にいます。カスト氏は会社からドンカスター行きを命じられます。あなたの計画は彼をつけて、チャンスをうかがうことです。何もかもがうまくいきました。カスト氏は映画館へいきました。じつに簡単でした。あなたは彼から少し離れた席に座りました。彼が出ていくために立ちあがったとき、あなたもそうしました。あなたはつまずいたと見せかけ、前にのめり、前列で居眠りをしていた男を刺し、ＡＢＣをその足元に落とし、暗い通路でカスト氏にどんとぶつかって、彼の袖でナイフをぬぐい、上着のポケットにすべりこませたのです。

あなたは名前がＤではじまる被害者を選びだすという手間をかけるつもりはなかった。誰でもよかったのです！　人間違いだとみなされることを、あなたは正しく推測したのです。それに、名前がＤではじまる人が、おそらくその近くにいるはずだった。狙われたのはその人物だとみなされるでしょう。

さてここで、みなさん、問題をにせのＡＢＣの視点から——カスト氏の立場から——考えてみましょう。

アンドーヴァーの事件は、彼にとってなんの意味ももちませんでした。ベクスヒルの犯罪には驚き、ショックを受けました——彼はその時間に、その町にいたのです！　そしてチャーストンの殺人が起こり、新聞で大きく報道されました。アンドーヴァーでＡＢＣの犯罪があり、ベクスヒルでＡＢＣの犯罪があり、またしても新たな犯罪がすぐそばで起こりました……。三件の犯罪があり、彼はそのたびに現場にいたのです。発作性の患者はしばしば意識を喪失し、自分が何をしたのか思い出せないことがあります……。

カスト氏が臆病で、きわめて神経質であり、極度に暗示にかかりやすいことを思い出してください。

それから彼はドンカスターへいけという命令を受けとりました。ドンカスター！　次のＡＢＣの犯罪はドンカスターで起こることになっています。運命だという気がしたにちがいありません。彼は脅え、下宿の女主人が疑惑の目で自分を見ていると想像し、チェルトナムへいくとでたらめを言います。

彼は自分の仕事なのでドンカスターへいきます。午後、彼は映画館に入りました。一、二分うたたねをしたのかもしれません。

想像してみてください、宿に帰り、上着の袖に血痕がつき、ポケットに血まみれのナイフが入っていることを発見したときの彼の気持ちを。彼の漠然とした不吉な予感が、突如、現実になったのです。

彼が——彼自身が——殺人者なのです！　彼は頭痛を——記憶の欠落を思い出します。きっとそうだ、と思います——自分、アレグザンダー・ボナパート・カストは殺人狂なのだと。

その後の彼の行動は、狩りたてられている動物と同じです。彼はロンドンの下宿にもどります。そこなら安全です——よく知られていますから。下宿の人たちは、彼がチェルトナムにいっていたと思っています。彼はまだナイフをもっています——もちろん、愚かきわまることです。それをホール・スタンドの後ろに隠します。

そしてある日、警察がやってくるという警告を受けます。もう終わりです。警察に知られてしまった！

追われている動物は最後にもう一度逃げます……。

なぜ彼がアンドーヴァーへいったのか、わたしにはわかりません——病的な欲求でしょうか——犯罪がなされた場所を見たい——何も覚えていないが、自分がやった犯罪の現場を見たいという欲求かもしれません……。

お金はありません——疲れ果てました……足が勝手に警察署へと向かいます。

しかし、追いつめられた獣でも闘います。カスト氏は自分が殺人をやったのだと信じこんでいますが、それでも無実を強く訴えます。そして絶望のなかで、第二の殺人のときのアリバイにしがみつきます。少なくとも、その殺人を彼の犯行にすることはできないのです。

すでに言いましたが、わたしは彼に会ったとき、これは殺人者ではないとすぐにわかりましたし、わたしの名前は彼にはまったく意味をなしませんでした。彼が自分は殺人犯だと思いこんでいることもわかりました！

彼が有罪だと告白したあと、わたしは自分の仮説が正しいことをさらに強く実感しました」

「あなたの仮説は」フランクリン・クラークが言った。「バカげている！」

ポアロは頭をふった。

「いいえ、クラークさん。あなたが安全なのは、あなたを疑う者が一人もいないときだけなのです。ひとたび疑いが生じれば、証拠をあつめるのは簡単です」

「証拠？」

「はい。あなたがアンドーヴァーとチャーストンの殺人に使ったステッキを、わたしはコームサイドの戸棚で見つけました。太い握りがついたふつうのステッキです。木の一部がえぐられ、鉛が溶かしこんでありました。あなたがドンカスターの競馬場にいたはずの時間に映画館を出るのを見たという二人の証人が、五、六人の写真のなかからあなたの写真を選びだしました。先日一緒にベクスヒルへいったときに、ミリー・ヒグリーともう一人の娘が、あなたが運命の夜にベティ・バーナードを食事に連れていったと確認しています。そして最後に——これは決定的ですが——あなたはもっとも基本的な用心を怠ったので〈スカーレット・ランナー〉のウェイトレスですが、その二人があなただと確認していったす。あなたはカスト氏のタイプライターに指紋を残している——あなたが無実であれば、手を触れたはずがないタイプライターですよ」

クラークはちょっとのあいだ身じろぎもせずに座っていた。それから言った。

「赤《ルージュ》、奇数《アンペール》、負け《マンク》だ！　あなたの勝ちだ、ムッシュー・ポアロ！　だが、やってみるだけのことはあった！」

信じられないすばやさで、彼はポケットから小さなオートマティック・ピストルをとりだし、自分の頭に銃口を向けた。

わたしは叫び声をあげ、銃声を予期して思わず身体を強ばらせた。

だが、銃声はしなかった——撃鉄がかちっと無害な音をたてただけだった。

クラークは呆然として銃を見つめ、悪態をついた。

「だめです、クラークさん」ポアロが言った。「きょうここに新しい使用人がいることにお気づきでしょう——わたしの友人で——腕がいいスリなんです。彼があなたのポケットからピストルをとって、弾丸を抜き、もとにもどしたんです、あなたに気づかれずにこっそりと」

「このいまいましいちびの気取った外人やろう！」クラークは憤怒に顔を赤黒くしてどなった。

「はい、はい、そう感じておられるんですね。いえ、クラークさん、あなたをあっさり死なせるわけにはいきません。あなたはカストさんに、溺死しそうになったが、助かったと話しました。それがどういう意味かわかっているでしょう――あなたには生まれながらにして、べつの運命が待っていたということです」

「このやろう――」

言葉がつづかなかった。顔が土気色になった。クラークは脅すようにこぶしを握りしめた。

警視庁の二人の刑事が隣室から姿をあらわした。一人はクローム警部だった。警部は前に進みでると、むかしながらの言葉を口にした。「あなたが言うことは証拠として採用されるかもしれないことを警告しておきます」

「彼はもう充分にしゃべりましたよ」ポアロは言い、クラークに向かってつけ加えた。

「あなたは島国的な優越感でふくれあがっているようですが、わたしはあなたの犯罪をイギリス的な犯罪だとは思いません――フェアではないし――スポーツマンらしくないです――」

35 フィナーレ

フランクリン・クラークの背後でドアが閉まったとき、わたしがヒステリックに笑ったことを、残念ながら述べておかなければならない。

ポアロはやや驚いたようにわたしを見た。

「彼の犯罪がスポーツマンらしくないなんてあなたが言うからですよ」わたしはあえぎながら言った。

「だって、そのとおりなんです。おぞましいですよ——兄を殺したことではなく——不幸な男を生きながらの死へと落とした残酷さがです。狐をつかまえろ、おりに入れて、決して逃がしちゃいけないぞ！　それはスポーツマンらしくありません！」

ミーガン・バーナードが深いため息をついた。

「信じられません——信じられないわ。ほんとうなんですか」

「そうです、マドモワゼル。悪夢は終わりました」

ミーガンはポアロを見て、顔を赤らめた。

ポアロはフレイザーのほうを見た。

「マドモワゼル・ミーガンは最初から、あなたが第二の犯罪をやったのではないかという恐怖につきまとわれていたんですよ」

ドナルド・フレイザーは静かに言った。

「ぼくも自分でそう思ったことがありました」

「あの夢のせいですか？」ポアロは青年のほうにやや身体を寄せて、内緒話をするように声をひそめた。「あなたの夢はごく自然な説明ができます。あなたの記憶のなかで妹の面影がすでに薄れ、姉の面影が入りこんでいることに気づいたからです。あなたの心を、妹に代わってマドモワゼル・ミーガンが占めるようになったのですが、あなたは死者にたいしてそんなに早く心変わりしてしまったと思うと耐えられなくなり、その気持ちを抑えよう、押し殺そうとしたんです！　それが夢の説明ですよ」

フレイザーの目がミーガンに向けられた。

「忘れることを怖れてはいけません」ポアロがやさしく言った。「彼女はそれほど記憶にとどめておくほどの娘さんではなかった。マドモワゼル・ミーガンは百人に一人の女性です——偉大な心の持ち主《アン・クール・マニフィク》です！」

ドナルド・フレイザーの目が輝いた。

「そのとおりだと思います」

わたしたちはポアロを囲み、質問を浴びせ、あれやこれやの説明を求めた。

「あの質問はなんなんですか、ポアロ。あなたがみなに尋ねた質問です。あれには何か意味があったんですか」

「いくつかは、たんなる冗談《サンプルマン・ユヌ・ブラーグ》でした。しかし、知りたいことを一つ学べました——最初の手紙が投函されたときフランクリン・クラークがロンドンにいたことです——それにマドモワゼル・ソーラに質問したときの彼の顔を見たかったんです。彼は油断していました。彼の目に悪意と怒りが見てとれました」

「わたくしの気持ちのことなど、まるで考慮していただけなかったんですね」ソーラ・グレイが言った。

「あなただって、あのときわたしの質問に正直に答えていただけたとは思えませんね、マドモワゼル」ポアロは皮肉っぽく言った。「それに二度目の期待も失望に終わってしまいましたね。フランクリン・クラークは兄の財産を相続できないでしょうから」

彼女はぐいと頭をそびやかした。

「これ以上ここにいて、侮辱されている必要がありますか」

「ありません」ポアロは言い、彼女のために礼儀正しくドアをあけた。

「あの指紋が決定的でしたね、ポアロ」わたしは考えこみながら言った。「あなたがあれをもちだしたとき、彼はあきらめたんです」

「ええ、あれは効果がありましたね——指紋は」

ポアロは考え深げにつけ加えた。

「あれはあなたを喜ばせるためだったんですよ」

「では、ポアロ」わたしは声をあげた。「あれはほんとうじゃなかったんですか」

「ぜんぜん、わが友《モナミ》」とエルキュール・ポアロは言った。


数日後にアレグザンダー・ボナパート・カスト氏の訪問を受けたことを述べておかなければならないだろう。カスト氏はポアロの手をにぎりしめ、しどろもどろで、とりとめなく感謝の言葉を懸命に述べたあげく、居ずまいを正して言った。

「ご存知ですか、ある新聞からじっさいに百ポンドの申し出があったんです——百ポンドですよ——わたしの生涯と経歴について簡単に話すだけでいいんだそうです——わたしは——わたしはどうすればいいのかわかりません」

「わたしなら、その百ポンドは受けとりませんね」ポアロが言った。「断固としてください。五百ポンドならいいと言うんです。それに一紙に限ることはありません」

「ほんとにそう思われますか――わたしがひょっとして――」ポアロはにこやかに言った。「ご自分が有名人であることを自覚なさらないといけません」「自覚なさらないといけません」

カスト氏はさらに背筋をぴんと伸ばした。喜びに顔がいちだんと輝いた。

「そのとおりだと思います！　有名です！　どの新聞にも載っています。ご忠告を受け入れます、ムッシュー・ポアロ。お金は大歓迎です――大歓迎です。ちょっと休暇をとります……それからリリー・マーベリにすてきな結婚祝いをあげたいんです――いい娘さんです――ほんとにいい娘さんですよ、ムッシュー・ポアロ」

ポアロは励ますように肩をたたいた。

「そのとおりですよ。楽しんでいらっしゃい。それから――ひとこと申しあげると――目医者にいってみたらどうですか。あなたの頭痛は、新しい眼鏡をかければなおるかもしれませんよ」

「ずっと、それが原因だったとお考えなんですか」

「ええ、そうです」

カスト氏は心をこめて握手した。

「あなたはほんとに立派な方ですね、ムッシュー・ポアロ」

ポアロは例によって、お世辞を言われても謙遜しなかった。つつしみ深い顔をつくろうとしても、それさえうまくいかなかった。

カスト氏が胸を張って出ていくと、わが旧友はわたしに微笑みかけた。

「で、ヘイスティングズ――わたしたちはまた狩りをしましたね、そうでしょう？ ス《ヴィ》ポーツばんざい《ヴ・ル・スポール》！」

解説

作家　法月綸太郎

　ＡＢＣと自称する謎の人物から、名探偵エルキュール・ポアロの許に送りつけられた殺人予告の手紙。その文言通り、Ａの頭文字がつく土地でＡで始まる名前の持ち主が殺され、死体のそばには犯人の署名のようにＡＢＣ鉄道案内が残されていた。これまで被害者を中心とする閉じた人間関係《クローズド・サークル》の内部で起こる犯罪に取り組んできたポアロが、初めて遭遇する没個人的な外部からの殺人――「これがはじまりです」――ポアロの不吉な予感は的中し、やがてＢ、Ｃ……と同様の犯行が繰り返されていく。

『ＡＢＣ殺人事件』は一九三五年に発表された、アガサ・クリスティーの十八番目の長篇です。英国各地で引き起こされる、目的の定かでない無差別連続殺人を描いた鮮やかなプロットは、ミッシング・リンク・テーマと呼ばれるパターンの古典的な完成形として、発表当時から現在に至るまで、常に高い評価を受けてきました。ポアロが活躍するシリーズの中でも、『アクロイド殺し』『オリエント急行の殺人』と並び称される有名作で、ヘイスティングズ大尉の手記と三人称の挿話を併用したカットバックの手法が見事な効果を挙げており、本書をポアロ物のベストに推す読者も少なくありません。

ミッシング・リンクという用語は「失われた環」と訳されますが、同じ環でもringではなく、link（鎖を作っている中のひとつの環）であることに注意してください。インターネットで「リンクを設定する」というのと同じで、つながりとか、関連づけを意味する言葉だからです。本格ミステリの世界では、おもに連続殺人のケースで、いっけん無関係に見える被害者どうしを結びつける隠れた共通項を探していくものを、ミッシング・リンク・テーマと総称しています。

このテーマの嚆矢となったのは、ジョン・ロード『プレード街の殺人』（一九二八）という作品で（本書の中にもさりげなく同書のアイデアに触れている箇所があります）、クリスティー以前にも、アントニイ・バークリイ『絹靴下殺人事件』（一九二八）やフィリップ・マクドナルド *Murder Gone Mad*（一九三一）のような作例が見られますが、ミッシング・リンク・テーマの決定版といえば、やはり『ＡＢＣ殺人事件』に尽きるでしょう。本書でクリスティーが編み出した着想とその処理があまりにも素晴らしかったために、「ABCパターン」というのが本来の意味をこえて、ミッシング・リンク・テーマの代名詞になってしまったほどです。

その証拠に、これ以降に書かれたミッシング・リンク・テーマの成功作は、いずれもクリスティーの着想を下敷きにしたうえで、いかにしてそれを乗りこえるかという点に腐心したものばかりなのですから。読者の参考のために、代表的な海外作品を挙げてみましょう。エラリイ・クイーン『九尾の猫』（一九四九）、ヘレン・マクロイ「歌うダイヤモンド」（一九四九）、D・M・ディヴァイン『五番目のコード』（一九六七）、ウィリアム・L・デアンドリア『ホッグ連続殺人』（一九七九）……。

それだけではありません。『ABC殺人事件』は、一九九〇年代に爆発的なブームを巻き起こしたサイコ・スリラー／シリアル・キラー小説にも、隠然たる影響を及ぼしているといってよいでしょう。たとえば、ブームの先駆けとなったトマス・ハリス『レッド・ドラゴン』（一九八一）を読むと、さすがに「ABCパターン」には当てはまらないとしても、カットバックの手法や心理的な要素の重視、サスペンスフルな筋立ての中に、クリスティーの遺産が脈々と受け継がれていることがわかるはずです。

幸か不幸か、一九七六年に亡くなったクリスティーは、九〇年代のサイコ・スリラー

・ブームを目の当たりにすることはありませんでした。もし彼女がブームの渦中に発表された作品を読むことがあったら、残虐さを競うような拷問・殺人描写や、長々と続く専門的な記述に眉をひそめたかもしれません。ですが、いずれにしろ、クリスティーは意地悪な笑みを浮かべながら、こうつぶやいたことでしょう――科学捜査やらプロファイリングやら、本当に皆さんご苦労なこと。でも、わたしならこの半分のページ数で、もっと手際よく読者の鼻面を引き回すことができるわ。だって、どれもこれもわたしが六十年前に書いたプロットの一部をへたくそに引き伸ばした、二番煎じばかりじゃないの！

注意！　以下の文章で、『ＡＢＣ殺人事件』の真相に触れます。この先は、くれぐれも本篇を読了した後にお読みください。

真の犯行動機を悟られないよう、一連の無関係な被害者グループの中に、本当に殺したい相手を紛れ込ませる――「ＡＢＣパターン」という着想は、Ｇ・Ｋ・チェスタトンの短篇「折れた剣」（一九一一）に出てくる有名な逆説（＝死体を隠したいと思う者は、死体の山を築いてそれを隠す）を、連続殺人事件に応用したものです。「折れた剣」の舞台は外国の戦場で、保身のために部下を殺害した将軍が自分の罪を隠すべく、指揮下の部隊にわざと負け戦を命じて、戦死者の山の中に部下の死体を紛れ込ませるわけですが、クリスティーが本書でなしとげた最大の功績は、ミッシング・リンク・テーマを逆手に取って、チェスタトンの奇想天外なアイデアを平時の都市空間に移し替えたことでしょう。

ちなみに英語では、戦死者のことをcasualtyと呼びます。これはcasual（偶然の、不慮の）という形容詞から来たもので、「不慮の犠牲者」というニュアンスが含まれた用法です。面白いのは、『ABC殺人事件』の中で巻き添えを食って殺される被害者たちも、ある種のcasualtyにほかならないということでしょう。彼らは犯人の計画に沿って選ばれた犠牲者ですが、土地と人名の頭文字という最低条件を除けば、各人の選択は場当たり《カジュアル》的なものにすぎないのですから。特に四件目のDの殺人では、ABCによる犯行のcasualな性格が露骨に示されています。

連続殺人のプロセスにcasualな条件を盛り込むことによって、捜査を攪乱し、真の犯行動機を絞れないようにする——聡明なクリスティー読者ならすでにお気づきのように、『ABC殺人事件』で用いられた騙しの技法は、この前年に発表された『三幕の殺人』のプロットを引き継ぎ、さらに発展させたものだといえるでしょう。

しかしその一方で、犯行計画にcasualな条件を盛り込むことが、犯人側にある種のリスクをもたらすのはいうまでもありません。しばしば「ABCパターン」の作品が、道理に合わない不自然な犯行であるという批判を浴びるのは、そのせいでしょう。

たしかに不必要な殺人の数を増やすほど、ひょんなことから足がつく危険性が大きくなりますし、犯行の法則性が見破られたとたん、捜査側に予防線を張られてしまうという弱点もあります。作中でポアロは犯人の性格を、賭けを止められないギャンブラーになぞらえていますが、これはとりもなおさず、犯行計画そのものがはらむcasualな危うさを言い当てているわけです。

しかし、クリスティーという作家の本当の非凡さは、こうした批判をあらかじめ予想したうえで、「ABCパターン」を構成する個々の犯行に、別の側面から必然性を与える工夫をしているところに表れています。というのも、わりと見過ごされがちな点ですが、本書は精神的なハンディキャップを負った無実の男が、狡猾な真犯人の策略によって、犯行の自覚すらない連続殺人を自分が実行したように信じ込まされていくプロセスを描いた作品でもあるからです。クリスティーがあえて叙述の一貫性を崩し、「ヘイスティングズ大尉の記述ではない」三人称の章を挿入するという変則的な構成を採用したのは、こうした裏のプロット（操りテーマ）により説得力を持たせるためでしょう。

表のプロット（ミッシング・リンク・テーマ）は、単にそれだけを取り出せば、非常に危うい、必然性に欠ける犯行に見えるかもしれません。しかし、クリスティーは個々の犯行を、記憶に障害を持つスケープゴートに対して徐々に心理的なプレッシャーをかけ、抜き差しならぬ窮地に追い込んでいくプロセス——自分の赴いた先々の土地で、ABC殺人が繰り返される。徐々に不安が高まり、精神的に追いつめられていった末に、血染めの凶器という決定的な証拠を発見する——として描いています。犯行の自覚のない人物に、自分が殺人犯であると確信させるには、反復強迫的な心理的ショックを与え続けなければならないわけで、そのために必要不可欠な段取りとして複数の犯行、すなわちABC殺人のシナリオが要請されているということです。

本書のラストで、ポアロが真犯人に対して「フェアではないし」「スポーツマンらしくない」と告げる場面がありますが、そこでは私利私欲のために、縁もゆかりもない人人を何人も殺したことではなく、「不幸な男を生きながらの死へと落とした残酷さ」が非難されています。言い換えれば、クリスティーの狙いもそこにあったというべきでしょう。こうした犯人の邪悪な性格造形は、「それは心理的実験として興味のあるものだった」とうそぶく『そして誰もいなくなった』（一九三九）の犯人へと受け継がれていきます。

蛇足を承知で、最後にもうひとつだけ。『ABC殺人事件』に組み込まれたプロットの二重性に、だれよりも感嘆したのは、エラリイ・クイーンその人だったのではないでしょうか？ というのも、後年クイーンは、本書の表と裏のプロットを遠心分離器にかけて別々の長篇に仕立て直したような、注目すべき二部作を発表しているからです。

その二部作とは、第二次世界大戦後の問題作として有名な『十日間の不思議』と、すでに名前を挙げた『九尾の猫』です。ミッシング・リンク・テーマに挑戦した『九尾の猫』に関してはいうまでもありませんが、一九四八年に発表された『十日間の不思議』では、もうひとりのアレグザンダー・ボナパート・カスト氏というべき不幸な青年が登場し、本書とは対照的な悲劇的末路を迎えます。

クリスティーをライバル視していたクイーンが、『ABC殺人事件』という間然するところのない先行作品をどんなふうに料理し直したのか。関心を持たれた読者は、両者を読み比べてみるのも一興ではないかと思います。

灰色の脳細胞と異名をとる

〈名探偵ポアロ〉シリーズ

本名エルキュール・ポアロ。イギリスの私立探偵。元ベルギー警察の捜査員。卵形の顔とぴんとたった口髭が特徴の小柄なベルギー人で、「灰色の脳細胞」を駆使し、難事件に挑む。『スタイルズ荘の怪事件』（一九二〇）に初登場し、友人のヘイスティングズ大尉とともに事件を追う。フェアかアンフェアかとミステリ・ファンのあいだで議論が巻き起こった『アクロイド殺し』（一九二六）、イニシャルのＡＢＣ順に殺人事件が起きる奇怪なストーリーが話題をよんだ『ＡＢＣ殺人事件』（一九三六）、閉ざされた船上での殺人事件を巧みに描いた『ナイルに死す』（一九三七）など多くの作品で活躍し、最後の登場になる『カーテン』（一九七五）まで活躍した。イギリスだけでなく、イラク、フランス、イタリアなど各地で起きた事件にも挑んだ。

映像化作品では、アルバート・フィニー（映画《オリエント急行殺人事件》）、ピーター・ユスチノフ（映画《ナイル殺人事件》）、デビッド・スーシェ（ＴＶシリーズ）らがポアロを演じ、人気を博している。

1 スタイルズ荘の怪事件
2 ゴルフ場殺人事件
3 アクロイド殺し
4 ビッグ4
5 青列車の秘密
6 邪悪の家
7 エッジウェア卿の死
8 オリエント急行の殺人
9 三幕の殺人
10 雲をつかむ死
11 ABC殺人事件
12 メソポタミヤの殺人
13 ひらいたトランプ
14 もの言えぬ証人
15 ナイルに死す
16 死との約束
17 ポアロのクリスマス
18 杉の柩
19 愛国殺人
20 白昼の悪魔
21 五匹の子豚
22 ホロー荘の殺人
23 満潮に乗って
24 マギンティ夫人は死んだ
25 葬儀を終えて
26 ヒッコリー・ロードの殺人
27 死者のあやまち
28 鳩のなかの猫
29 複数の時計
30 第三の女
31 ハロウィーン・パーティ
32 象は忘れない
33 カーテン
34 ブラック・コーヒー〈小説版〉

訳者略歴　明治学院大学大学院卒，英米文学翻訳家　訳書『24人のビリー・ミリガン〔新版〕』キイス，『裏切りの色』シンプスン，『ロスト・ガールズ』パイパー，『ジャスミン・トレード』ハミルトン（以上早川書房刊）他多数

ABC殺人《さつじん》事件《じけん》

〈クリスティー文庫 11〉

二〇〇三年十一月十五日　発行
二〇二四年十月二十五日　三十二刷

（定価はカバーに表示してあります）

著者　アガサ・クリスティー
訳者　堀《ほり》内《うち》静《しず》子《こ》
発行者　早川浩
発行所　株式会社　早川書房

東京都千代田区神田多町二ノ二
郵便番号一〇一‐〇〇四六
電話　〇三‐三二五二‐三一一一
振替　〇〇一六〇‐三‐四七七九九
https://www.hayakawa-online.co.jp

乱丁・落丁本は小社制作部宛お送り下さい。
送料小社負担にてお取りかえいたします。

印刷・中央精版印刷株式会社　製本・株式会社フォーネット社
Printed and bound in Japan
ISBN978-4-15-130011-0 C0197

本書は活字が大きく読みやすい〈トールサイズ〉です。